Iconologia

Princes et Artistes

Du même auteur

Aux Editions Gallimard

De la Réforme aux Lumières

1972

Hugh Trevor-Roper

Princes et Artistes

Mécénat et idéologie dans quatre cours Habsbourg 1517-1633

Traduit de l'anglais
par Bernard Turle

Thames & Hudson

Ouvrage publié avec le concours
du Centre national des Lettres

Recherche iconographique
Georgina Bruckner

Ce livre est la traduction de l'ouvrage paru en anglais
sous le titre *Princes and Artists*

Cet ouvrage composé par Cicero à Paris
a été reproduit et achevé d'imprimer en septembre 1990
par l'imprimerie Hérissey à Evreux
pour les éditions Thames & Hudson.

Dépôt légal : 4e trimestre 1991
ISBN 2-87811-043-9
Imprimé en France

Préface

Ce livre a pour origine quatre conférences qui avaient trait à certains aspects des arts visuels. Je ne suis pas historien d'art et ne me serais pas aventuré seul, avec mon maigre bagage, dans ce passionnant mais périlleux labyrinthe hérissé de hallebardes et d'impatients stylets. Je ne suis qu'un simple historien; mais je crois que les beaux-arts, comme la littérature, d'un pays, d'une époque, quels qu'ils soient, étant l'expression même des idées de ce pays, de cette époque, font un avec leur histoire et l'éclairent, comme ils en sont éclairés. L'histoire qui ignore les beaux-arts ou la littérature est une histoire aride, de même qu'une société sans beaux-arts ni littérature est une société stérile et que, inversement, on ne comprend qu'à moitié les beaux-arts et la littérature qu'on étudie sans se reporter à l'histoire. Bien sûr, le grand art, la grande littérature transcendent le contexte historique dont ils sont issus: là réside leur grandeur. Toutefois, si c'est grâce à cette transcendance qu'ils survivent aux circonstances historiques qui les ont engendrés, c'est aussi grâce auxdites circonstances que l'on peut, non seulement les admirer, mais encore les comprendre. En bref, je crois, comme M. Fernand Braudel, que les beaux-arts et la littérature sont «les vrais témoins de toute histoire valable», c'est-à-dire digne d'être transmise : ils sont le legs spirituel qui nous rappelle que nous avons hérité une civilisation vivante.

Pour cette raison, j'aimerais que mes collègues historiens voient dans les beaux-arts et la littérature des témoins de l'histoire : y voient, en réalité, une composante de la substance historique ; et j'aimerais que les historiens d'art et les hommes de lettres acceptent la contribution –

l'humble contribution – de l'histoire à la compréhension des beaux-arts et de la littérature. Mon étude de l'histoire a été indéniablement enrichie, approfondie par l'étude des beaux-arts et je constate que les plus grands historiens d'art, du moins ceux qui ont le plus compté pour moi – Jacob Burckhardt, Carl Justi, Emile Mâle –, ont tous été des historiens au sens le plus large : historiens, non pas de l'art seulement, mais des hommes et des idées.

Naturellement, cela ne vaut pas de la même manière pour toutes les époques. Il y a des époques sans art, comme il y a des époques sans idées et des époques où les beaux-arts sont, ou semblent, sans rapport avec les idées maîtresses de l'époque. Or, là encore la question se pose : pourquoi cette absence de lien apparent, pourquoi cette disjonction? Problème d'ordre philosophique, inhérent à la philosophie de l'histoire, que, pour l'instant, nous laisserons irrésolu. Pour l'heure, j'en viendrai aux faits, au sujet que j'ai choisi. Je me suis fixé sur une période de l'histoire européenne où grand art et grands mouvements de pensée furent intimement liés: moment d'effervescence idéologique exprimée, pour diverses raisons, par certains des plus grands artistes européens, à la fois directement, en raison de convictions personnelles, et indirectement, sur l'invitation de leurs mécènes. Il s'agit de la période qui nous mène, dans le domaine de l'art, de la haute Renaissance au baroque, d'un point de vue idéologique, de la Réforme à la Contre-Réforme, et, en politique, des espoirs humanistes et de l'empire médiéval retrouvé de Charles Quint au dernier affrontement interne du christianisme militant, et à la brutale *Machtpolitik* de la guerre de Trente ans.

A l'intérieur de ce vaste sujet, et pour l'illustrer clairement, j'ai choisi de traiter du mécénat de certaines cours princières. Non pas que je croie que l'art nait à la cour: il est clair que ce n'est pas le cas. En Europe, au Moyen Age, l'art naissait dans l'Eglise, source des idées, et dans les villes, sources des richesses. Les libres cités marchandes d'Italie, les Flandres, les pays du Rhin, l'Allemagne méridionale: tels étaient les centres économiques de l'Europe médiévale – ils produisirent aussi les plus grands artistes. On peut dire que, dans l'ensemble, les plus fécondes écoles artistiques se trouvent alors dans les cités dotées des banques les plus importantes: Sienne, Florence, Venise, Gand, Bruges, Anvers, Augsbourg, Nuremberg. A la Renaissance, néanmoins, les cours se substituèrent aux villes et à l'Eglise, prirent en main la production et l'orientation artistiques – asservies désormais à leur propagande, à leur prestige. On requit les services de l'art pour d'éphémères spectacles publics, des processions triomphales, les «Joyeuses Entrées»; on lui donna plus de permanence dans de grandes collections princières, continuation, en des temps nouveaux et sous une forme nouvelle, des trésors princiers du Moyen Age. Les *Kunstkammern*, de joyaux et emblèmes dynastiques devinrent, en ces temps acquis au culte de la beauté, galeries de tableaux et de sculptures. La mode s'enracina dans les mœurs, créa des métiers pour se perpétuer, se répandit: d'une cour à l'autre, par le biais de mariages, de relations diplomatiques et commerciales, d'Italie et de Bourgogne aux cours jusqu'alors plus rustres d'Espagne, d'Angleterre, du Danemark, de Saxe, d'Holstein et de Poméranie, et, descendant l'échelle sociale, de cours royales en nobles résidences, de Charles Quint à ses ministres, à ses secrétaires, à ses financiers, de Philippe II aux grands d'Espagne – seigneurs de la guerre dans une génération, avides amateurs d'art dans la suivante –, de Rodolphe II à la noblesse de Bohême, et, Outre-Manche, du roi Charles Ier aux nobles protecteurs de Van Dyck et de Lely.

Parmi toutes ces cours rivales, j'ai choisi celles des Habsbourg parce que ce sont les chefs de cette maison qui montrèrent l'intérêt le plus constant pour les arts, et parce que l'évolution de leur mécénat dans leurs cours successives et fort diverses illustre clairement, je crois, les différentes phases des grandes crises idéologiques de l'époque. Nous suivrons l'empereur Charles Quint de par l'Europe, le roi Philippe II d'Espagne à Madrid, l'empereur Rodolphe II à Prague et l'archiduc Albert à Bruxelles, tous mécènes pourvus de goûts particuliers, chacun, cependant, reflétant à travers son mécénat une étape différente de la *Weltanschauung* européenne. Tous catholiques, ces souverains héritaient de ce fait les traditions artistiques de leur foi ; mais aucun ne pratiquait le même catholicisme. Charles Quint se référait à l'Eglise universelle, pilier de son empire universel pour lequel, fermement quoique épisodiquement, il se prenait à rêver d'une réforme qui prolongerait son unité. Résolu à défendre l'orthodoxie menacée, confiant en la puissance séculaire et en l'esprit un et apostolique de l'Espagne, Philippe II chercha à imposer à nouveau et sans conditions un système dont les défenseurs mêmes savaient qu'il ne pouvait être préservé que par la retraite et le changement. Rodolphe II, à l'abri derrière sa neutralité face au nouveau programme de l'Eglise mais prisonnier des dures réalités d'un empire divisé et d'un pouvoir mal assis, voulut étudier le problème et préserver les traditions séculaires du passé – quand bien même l'orthodoxie dût en pâtir. Les « archiducs » de Bruxelles, enfin, bien que leur pouvoir politique fût menacé, étaient investis de tout le poids de la propagande contre-réformiste. Les attitudes opposées de ces souverains se reflètent chez les artistes qu'ils employèrent ; étudier, dans leur contexte historique, ces artistes et ce mécénat permettra, je l'espère, d'expliquer les bouleversements de la société de l'époque, et un chapitre de l'histoire des idées.

Charles Quint ou l'échec de l'humanisme

Il est toujours tentant de commencer une analyse du mécénat de la maison des Habsbourg à la Renaissance par Maximilien Ier, ce fascinant monarque. Il fut le visionnaire de la famille, le fondateur de son mythe. Nous voyons en lui *der letzte Ritter*, le dernier paladin du chevaleresque Moyen Age, l'homme universel ou, peut-être, le Don Quichotte septentrional : il suscite notre intérêt par ses rêves impériaux les plus fous, sa chimère d'une croisade contre les Turcs, son insolvabilité perpétuelle, son irrationalité, son charme viennois, son goût créatif pour les arts. En dépit de ses vastes projets, Maximilien demeura néanmoins avant tout un prince autrichien, un prince de sa dynastie, en contact qu'indirectement avec les idées de la Renaissance. Quoique époux de l'héritière de Bourgogne, il se considérait comme le simple dépositaire de cet héritage, qu'il réservait à son fils : il ne pouvait s'imaginer comme l'héritier naturel des Flandres et de leurs réalisations – encore moins de l'Italie – ou concevoir les immenses possibilités d'une contrée éloignée, au-delà des Pyrénées. Tous ces héritages, ce potentiel, reviendraient, grâce à son habile politique matrimoniale, à son petit-fils, Charles Quint. Néerlandais de naissance, celui-ci serait comte de Flandres et duc de Bourgogne à cinq ans, duc de Milan, roi de Naples et roi d'Espagne à seize, empereur germanique à dix-neuf, maître de l'Italie à trente, vainqueur de Tunis à trente-cinq. Même Maximilien, dans ses rêves les plus ambitieux, n'aurait pu imaginer tant de gloire pour sa maison.

Qui pourrait résumer le règne ou la personnalité de Charles Quint ? A la fois limpide et indéfinissable, il échappe aux historiens : vorace dans ses acquisitions mais conservateur dans ses visées, il régna sur un empire européen – seul celui de Napoléon sera aussi vaste – qu'il avait fait sien presque par hasard, usant des méthodes les plus conventionnelles. Il aimait la guerre et pourtant privilégia toujours la défensive. Enfin, après s'être battu durant quarante années pour construire et conserver son immense empire, il étonna l'Europe en abdiquant sans bruit, avant d'aller se retirer dans un monastère au fin fond de l'Espagne.

Ce qui frappe, par-dessus tout, en Charles Quint, c'est son extraordinaire énergie. Cet homme guindé, au débit *6* lent, au menton saillant des Habsbourg, amoureux de la tradition et de son pays, friand d'interminables festivités *12* – chasses, divertissements et banquets –, cet homme qui sut se fondre peu à peu dans le tissu glutineux et languide du rythme de la vie hispanique, et qui, à la fin de ses jours, fut réduit par la goutte à une immobilité totale, semble, tout au long de son règne, avoir été sans cesse en mouvement. Il n'eut jamais de capitale fixe : la capitale était simplement là où il se trouvait. Il emmena sa cour à Bruxelles, Valladolid, Grenade, Francfort, Augsbourg, Milan et Naples ; en outre, où que nous le trouvions, il ne se contente pas de gouverner un vaste empire, directement par l'entremise de ses secrétaires ou, indirectement, par celle de ses vice-rois, il est aussi perpétuellement en guerre. Le seul catalogue de ses voyages donne le tournis. Le fameux discours de son abdication, en 1555 à Bruxelles, a quelque chose d'oppressant. A cinquante-cinq ans, c'est un homme fourbu. Atteint prématurément par l'âge, il doit, pour se tenir debout, s'appuyer sur l'épaule du jeune prince d'Orange – le futur ennemi mortel de son fils. Et de réciter la longue liste des déplacements qui, à la longue, ont eu raison de lui : « Au cours de mes expéditions, entreprises quelquefois pour faire la guerre, et quelquefois pour faire la paix, j'ai rejoint neuf fois la haute Allemagne, six fois l'Espagne, sept fois l'Italie, quatre fois la France, deux fois l'Afrique, entreprenant en tout quarante périples, sans compter de nombreuses visites de moindre importance à mes divers Etats. J'ai traversé huit fois la Méditerranée et deux fois la mer d'Espagne...»

Comment, sommes-nous en droit de nous demander, un tel homme, en de tels temps, assailli par de telles tâches, un homme dont la vie entière semble préoccupée par l'acquisition et la défense – acquisition d'un vaste empire européen (et d'un autre aux Amériques, car c'est pour lui que Cortés conquit le Mexique et Pizarre le Pérou), et défense du même contre l'ennemi héréditaire, le Français – François Ier le magnifique – et le nouvel ennemi, le Turc – l'invincible et non moins magnifique Soliman –, défense, surtout, contre l'hérésie, contre la Réforme omniprésente qui déchire tous les pays, l'un après l'autre, semant la tempête, comment donc, un tel homme, qui éprouve tant de mal à mobiliser ses ressources économiques, dont chaque mesure défensive doit être le fruit d'exaspérantes négociations financières avec les *cortes* de Castille, les cités des Pays-Bas ou les grands capitalistes d'Augsbourg, comment trouve-t-il le temps d'être aussi un mécène enthousiaste et averti?

Le plus facile, bien sûr, est d'éluder la question. Le plus célèbre spécialiste de Charles Quint, William Robertson, ami de Hume et de Gibbon, ne mentionne même pas son penchant pour les arts. Mais peut-être Robertson, pasteur presbytérien quoique grand «historien philosophe», n'était-il que peu sensible à l'esthétique. Un siècle plus tard, dans son long ouvrage en deux volumes sur Charles Quint, l'historien américain W.H. Prescott n'aborde le sujet que pour l'écarter aussitôt, non sans quelque condescendance. L'empereur, écrit-il, était «un véritable amateur d'art et, pour une tête couronnée, un connaisseur digne de respect». Comment Prescott – atteint, par ailleurs, d'une cécité presque totale – pouvait-il présumer qu'en général les têtes couronnées manquaient de goût? Nul ne sait. Peut-être son assertion valait-elle pour son temps, mais l'appliquer au XVIe siècle est à la fois injuste et historiquement faux : c'est en effet manquer de reconnaître la fonction centrale jouée alors par l'art et le mécénat dans l'obligatoire symbolisme, la *Weltanschauung* encore indivise, non spécialisée d'une maison régnante.

Il revint à deux hommes, en particulier, de nous apprendre quels rapports Charles Quint entretenait avec l'art, deux hommes qui, à la différence de Robertson et de Prescott, s'étaient rendus en Espagne et avaient vu de leurs propres yeux les restes depuis longtemps abandonnés des temps impériaux. Richard Ford, artiste et homme de goût originaire du Devonshire, au cours de plusieurs expéditions à cheval entre 1830 et 1834, explora l'Espagne comme aucun étranger, voire comme aucun Espagnol ne l'avait jamais visitée ; son *Handbook for Travellers in Spain* (1845), l'un des plus beaux livres de voyage qui soient, demeure indispensable au touriste doté d'un penchant pour l'histoire et, pour le lecteur que l'histoire passionne, est tout simplement irrésistible. Chaque page nous révèle à la fois les préjugés politiques et la sensibilité artistique de l'auteur. Avec son franc dédain, tout britannique, pour le despotisme et les superstitions papistes, il déteste les Habsbourg, ce qui ne l'empêche pas de reconnaître le goût réel du « glacial Flamand » Charles Quint ou du « morne et froid bigot » Philippe II. On doit encore davantage au jeune ami écossais de Ford, Sir William Stirling Maxwell. En 1843, âgé de vingt-cinq ans et encore simple citoyen Stirling, il visita l'Espagne où il découvrit et révéla au monde tout un pan de l'héritage artistique espagnol oublié jusque-là. On peut dire qu'il redécouvrit l'art espagnol. Avec un goût des plus sûrs, il se constitua une immense collection dont les trésors ont depuis doté les musées de Grande-Bretagne et des Etats-Unis. Son goût lui permit de saisir ce qui avait échappé aux autres historiens ; dans son classique *Cloister Life of Charles V*, publié en 1852 et dédié à Ford, il soulignait que l'empereur était un véritable esthète – un homme dont le nom « est associé, non seulement à la guerre et à la politique, mais aussi aux arts pacifiques de son époque : associé à la plume de Vico, au burin de Leoni, au crayon de Titien et à la lyre de l'Arioste ; et, en tant qu'amateur d'art et mécène, sa renommée était aussi grande à Venise et à Nuremberg qu'à Anvers et à Tolède».

Comment aurait-il pu en aller autrement du petit-fils de Maximilien, élevé dans ces Flandres alors bourguignonnes qui resplendissaient des flamboyants, quoique ultimes feux de la Renaissance septentrionale? Toute sa famille, hommes et femmes, nourrissait une véritable passion pour l'art et, dès sa plus tendre enfance, il vécut entouré d'œuvres d'art. Orphelin de père, privé de sa mère qui, parce que folle, avait été enfermée en Espagne, retenu par la branche bourguignonne de sa famille qui ne désirait pas le voir emmené par son grand-père à Innsbruck ou à Vienne, où il serait devenu autrichien, il fut placé sous la tutelle de sa tante, la jeune veuve Marguerite d'Autriche. En l'honneur de son défunt mari, celle-ci ferait élever en Bourgogne la somptueuse église de Brou, et sa cour, à Malines, d'où elle gouvernait les Pays-Bas au nom de son père et de son neveu, était un centre humaniste, la capitale septentrionale des arts et des lettres. Avec l'enfant vivait sa sœur, Marie, reine de Hongrie, qui connut aussi un veuvage prématuré et, à son tour, gouverna les Pays-Bas au nom de son frère. Elle-même grande protectrice des arts, tout autant éprise du style flamand flamboyant que son frère, elle emplirait de livres et de tableaux les merveilleux châteaux que construiraient et décoreraient pour elle, à Binche et Mariemont, son architecte et sculpteur, Jacques Dubroeucq. Charles, en toute chose, préféra toujours le style flamand. Il aimait l'architecture flamande, la musique flamande – la complexe polyphonie de Guillaume Dufay et de Josquin des Prés. Ses plaisirs étaient flamands : chasses, festins, beuveries. Néanmoins, au fur et à mesure qu'il déplaçait vers le sud le centre de son empire, des Flandres à l'Espagne et de l'Espagne à l'Italie, la luxuriance flamande était tempérée par la régularité italienne. Du point de vue esthétique, on assiste durant le règne de Charles Quint – quarante années, de 1516 à 1556 – à une fusion des influences nordiques et italiennes; Dürer boit aux fontaines vénitiennes, Titien aux flamandes; le grand ministre impérial Granvelle construit un palais italien à Bruxelles; et en Espagne le mélange des styles gothique et italien produit un phénomène unique, un style composite surtout associé au règne de Charles Quint, le «plateresque».

Après une éducation flamande donc, le jeune Charles Quint traversa d'abord les Pyrénées pour aller recueillir sa couronne espagnole, puis se rendit en Allemagne où il brigua, avec succès, la succession de son grand-père à la tête du Saint Empire. Il retourna ensuite en Flandres et fit en 1520 sa «Joyeuse Entrée» dans la ville d'Anvers. *4* Ce genre de cérémonie (*Blijde Inkomst*) était partout en Europe, à la Renaissance, l'un des sommets de la vie de cour, mais il atteignait son plus haut degré de magnificence dans le duché de Bourgogne, où il revêtait une signification politique – mise en scène, pourrait-on dire, d'un contrat passé entre le prince et la ville. Cela donnait lieu à des réjouissances organisées autour d'un défilé ponctué d'arcs de triomphe allégoriques, et conclu par des feux de joie; peintres et poètes apportaient leur concours à ces fêtes, désireux de montrer qu'ils méritaient des lauriers – une place à la cour – ou, si leur front en était déjà ceint, qu'ils méritaient de les garder.

Parmi ceux qui vinrent à la rencontre du jeune empereur à Anvers, se trouvait le plus grand peintre de l'Allemagne méridionale, Albrecht Dürer. Le défunt empereur Maximilien ayant récemment découvert Dürer, l'avait promu au rang de peintre de cour. Dürer avait illustré son missel, conçu ses arcs de triomphe, portraituré ses ancêtres, mis en images sa propagande dynastique; l'un des derniers des multiples portraits de cet empereur porté sur l'iconographie, réalisé d'après nature à la diète d'Augsbourg et publié après sa mort, était de la main de Dürer.

Celui-ci, après l'élection de Charles Quint, alla donc aux Pays-Bas pour s'assurer de la reconduction de ses appointements. Le succès de sa démarche se traduisit en premier lieu par une médaille en argent exécutée pour le nouvel [1] empereur en 1521. Toutefois, l'événement qui, pour lui, marqua le plus son séjour aux Pays-Bas, fut-il probablement sa rencontre avec le prince des humanistes, l'ami et le conseiller de Charles Quint, Erasme.

En 1520 Erasme était le héros de l'Europe libérale. Par sa «Philosophie du Christ», exprimée dans son Nouveau Testament et son *Enchridion Militis Christiani*, *«Institution du prince chrétien»*, il avait conquis l'élite de la chrétienté. L'empereur et sa cour le révéraient, et en quelque lieu que se portât cette cour itinérante, le message d'Erasme suivait. Déjà on l'avait fait connaître à l'Espagne, avec des résultats explosifs: pendant une génération et plus encore, mué en une nouvelle forme de mysticisme dans ce sombre creuset multiracial, l'«érasmisme» devait dominer la vie intellectuelle et religieuse de la péninsule. De la Pologne à Gibraltar, de l'Ecosse à la Sicile, hommes cultivés, libéraux, courtisans, ecclésiastiques, marchands, notables et érudits, tous lisaient les ouvrages d'Erasme, étudiaient sa pensée, vénéraient son nom; même lorsque ses ouvrages seraient bannis et qu'il ne serait plus permis de prononcer son nom, son enseignement continuerait de former les esprits de la nouvelle génération.

Comme tous les autres, Dürer fut séduit par Erasme. Par deux fois il fit son portrait, dont il publia la gravure: [5] l'espoir, l'inspiration de toute l'Europe y apparaît sous les traits d'un érudit serein aux paupières mi-closes, engoncé dans un vêtement doublé de fourrure, entouré de ses livres, assis à sa table sur laquelle est posé un pot de fleurs. En 1521, lorsque l'empereur rencontra Luther à la diète de Worms, on eût dit qu'on allait parvenir à un accord. L'Europe institutionnelle, représentée par le jeune empereur germanique, était sur le point d'accepter le message de la réforme humaniste que représentaient Luther, non encore aigri ni effrayé par la révolution, et Erasme, que la marche implacable du temps n'avait pas encore éloigné du théologien. Lorsque, par erreur, fut annoncée la mort de Luther, Dürer écrivit dans son journal: «Ô Erasme d'Amsterdam, que feras-tu? Ô toi, chevalier du Christ, chevauche aux côtés de notre Seigneur, veille sur la vérité, accepte la couronne de martyre.» Le chevalier du Christ fait, bien sûr, référence au «prince chrétien» de l'*Enchiridion*, le célèbre ouvrage d'Erasme cité plus haut. C'est sans doute ce petit livre qui inspira à Dürer sa fameuse gravure connue sous le nom de *le Chevalier, la Mort et le Diable*, dont il distribuait alors des exemplaires aux Pays-Bas. Tel était le bouillonnement spirituel de l'époque, la confiance des libéraux, la croyance en la possibilité de réforme et en l'établissement d'un gouvernement éclairé – nous en sommes au début du règne de Charles Quint: il faudra nous rappeler cela lorsque nous parviendrons à la fin.

10

En politique, si l'on veut réformer le monde, il faut d'abord s'en rendre maître. Le christianisme n'eut le dessus dans le Saint Empire que lorsque le pouvoir impérial eut été pleinement rétabli, et le luthérianisme en Allemagne n'eût été qu'un ballon de baudruche sans les princes allemands. Dix années durant, l'empereur allait s'employer à rétablir son autorité, à traduire dans la réalité le pouvoir qui lui appartenait en théorie. Il dut, pour ce faire, agir sur tous les fronts: écraser la rébellion en Espagne, résister à la France à l'ouest, aux Turcs à l'est, maîtriser l'hérésie luthérienne en Allemagne, restreindre le pape à Rome. A l'issue de dix années d'incessants efforts, la tâche était accomplie: il avait battu le roi de France à Pavie; après le sac de Rome, le pape avait résolu de s'assagir; les Français avaient été boutés hors d'Italie, les Médicis rétablis à Florence; couronné lui-même par le pape à Bologne, l'empereur avait vu son frère cadet Ferdinand élu et couronné roi de Hongrie, roi de Bohème et, en

Allemagne, roi des Romains – c'est-à-dire qu'il était reconnu comme l'héritier de l'empire. L'ancienne puissance impériale, l'héritage du Saint Empire, de Charlemagne, de Frédéric II de Hohenstaufen, la fiction qui, telle une inatteignable vision, avait flotté devant les yeux de Maximilien, semblait soudain se réaliser. A Bologne l'empereur avait vu dans les rues son portrait jouxter ceux d'Auguste et de Trajan : Auguste, fondateur de l'empire, protecteur de la poésie et des arts ; Trajan qui, tout comme Charles Quint, était venu d'Espagne en Italie.

Quelles restaurations de la grandeur passée ne laissait pas présager le couronnement de Charles Quint ! Le temps était venu, à ce qu'il semblait, du triomphe de l'humanisme. Les humanistes qui l'entouraient, les administrateurs, les courtisans, les propagandistes, tous rêvaient de renouveau impérial. Tous s'en référaient à ses précurseurs romains et médiévaux. Certains, comme son chancelier piémontais, Mercurino Gattinara, imaginant une monarchie universelle, préconisaient de nouvelles conquêtes, de nouvelles annexions. L'empereur préférait le statu quo. Les conquêtes lui répugnaient : les conquérants, déclarait-il, étaient des tyrans. Il ne visait qu'à être le chef incontesté de l'*universitas Christiana*, de la fédération de l'Europe.

C'est en 1531 que l'empereur germanique vit son frère couronné roi des Romains à Aix-la-Chapelle, capitale de Charlemagne. Retournant ensuite en Italie, il s'arrêta en novembre 1532 pour quelque temps à la cour de Mantoue, chez son vassal, le duc Frédéric de Gonzague. Il y découvrit deux des plus grands artistes de la haute Renaissance italienne qui, chacun dans son art, devaient le célébrer. Le premier était l'Arioste, qu'il rencontra personnellement, le poète étant venu de Ferrare offrir à l'empereur en personne son poème épique *Roland furieux*, auquel il avait ajouté plusieurs couplets pour l'occasion. A l'instar de Virgile, l'Arioste faisait prédire à une prophétesse du temps jadis les gloires du présent : le monde serait gouverné par « le plus sage et le plus juste des empereurs qui ait jamais été, ou sera jamais, depuis Auguste» : un empereur grâce à qui Astrée, la déesse de la justice, reviendrait sur terre, rétablissant l'âge d'or auquel sa fuite avait mis un terme[1].

En l'Arioste Charles Quint découvrit la poésie de la Renaissance italienne, poésie qui se fit donc propagande pour sa monarchie universelle. Mais en même temps il découvrit l'art italien dans son ensemble : les Gonzague étaient en effet parmi les plus grands mécènes de l'Italie. Leur collection faisait la fierté de Mantoue – et continuerait à le faire jusqu'à ce qu'elle fût ignominieusement vendue à Charles Ier. Les nombreux palais des Gonzague étaient décorés par Pisanello, Mantegna et Jules Romain, tandis que le duc Frédéric, collectionneur acharné, était le protecteur du Corrège et de Titien. En 1530 il avait initié l'empereur à l'art du Corrège, à qui il avait commandé une œuvre allégorique pour son suzerain[2]. Il l'initia alors à l'art de Titien. Un tableau attira tout particulièrement le regard de l'empereur, le portrait en pied du duc peint par l'artiste quelque cinq ans plus tôt : le duc, debout, pose la main droite sur le cou de son chien.

Jusque-là, Charles Quint n'avait pas eu de peintre attitré. Durant sa jeunesse aux Pays-Bas plusieurs peintres de la famille, flamands ou allemands, avaient exécuté son portrait. Il y a des portraits juvéniles, par le Flamand Bernard Van Orley, le peintre de Marguerite d'Autriche ; par l'Autrichien Bernhardin Strigel, le peintre de Maximilien ; et par le grand Lucas Cranach. Mais le portrait du duc par Titien fut une révélation. L'empereur, enthousiasmé, décida que Titien le peindrait – lui et son chien. Après avoir cherché à le joindre, il parvint l'année suivante à rencontrer l'artiste à Bologne. Le résultat fut le premier portrait de l'empereur exécuté par Titien, fort célèbre, où le modèle, debout, plutôt guindé, voire hiératique, pose la main sur le cou de son lévrier. On a dit qu'il s'agissait là d'un portrait monumental bourguignon, de style septentrional, et non italien ; rien d'étonnant, d'ailleurs, puisqu'il reprend clairement un portrait exécuté peu avant à Bologne par Jacob Seisenegger, le peintre attitré du frère de l'empereur, Ferdinand, nouveau roi des Romains. C'est la *prueba* de Titien, un échantillon offert à un mécène éventuel.

Il obtint, de ce point de vue, un succès entier. Dès que Charles Quint le vit, sa décision fut prise. Il n'aurait désormais – avec les quelques exceptions dictées par la nécessité ou la courtoisie – qu'un seul peintre. De même qu'Alexandre le Grand n'autorisait jamais un autre que le plus grand peintre grec, Apelle, de même (rapporte Vasari) «cet invincible empereur» n'accepterait plus désormais d'être peint par un autre que Titien. Le décrivant dans le document officiel comme *huius saeculi Apelles*, l'Apelle de son temps, il en fit son peintre attitré, fit de lui un comte palatin, un chevalier de l'éperon d'or – et lui donna le titre étrange de *eques Caesaris*, chevalier de César. Il faut attendre un siècle pour qu'un peintre reçoive de tels honneurs. Rubens, arrivant lui aussi de la cour de Mantoue chez les Habsbourg, recevra le même titre, *eques Caesaris*, et sur sa pierre tombale à Anvers on retrouvera l'expression *huius saeculi Apelles*.

Toutefois, si Charles Quint choisit de ne reconnaître que Titien comme son peintre de cour, d'autres artistes n'en propagèrent pas moins, de leur côté, le mythe des Habsbourg. Peu après avoir pris Titien à son service, l'empereur décida de frapper un coup décisif contre les infidèles. Dans les premières années de son règne, les Turcs avaient dangereusement accru leurs conquêtes, se rendant maîtres des mers et des terres. L'une après l'autre, les citadelles étaient tombées entre leurs mains. Ils avaient capturé Rhodes et Belgrade, conquis la plus grande partie de la Hongrie, occis le roi Louis de Hongrie, beau-frère de l'empereur, pris et pillé Budapest, installé un roi fantoche pour s'opposer aux prétentions de l'héritier, Ferdinand, frère de l'empereur. Ils menaçaient Vienne. Ils avaient, par ailleurs, étendu leur protectorat sur toute la côte nord-africaine et, au grand dam des bons chrétiens, signé une alliance avec un autre ennemi de l'empereur, le Français. Quoi de plus naturel qu'au sommet de sa gloire, couronné par le pape champion séculaire de la chrétienté, Charles Quint tentât alors de réaliser le rêve de son grand-père Maximilien, de lancer enfin la grande croisade contre l'Islam? Roi d'Espagne, il avait hérité d'ailleurs la politique militante qui, après des siècles d'affrontements, avait permis de reprendre la péninsule aux Maures et de porter la «reconquête» chrétienne jusqu'en Afrique du Nord.

En 1535 tous les auspices semblaient favorables et l'empereur, après avoir assemblé à Barcelone une puissante flotte internationale, traversa la Méditerranée, débarqua en Afrique, battit le grand capitaine corsaire Khayr-al-Din Barberousse, puis fondit sur Tunis qu'il captura. C'était la première grande victoire de la chrétienté sur la domination ottomane et, à son retour en Italie, l'empereur fut reçu comme un héros conquérant. De Messine à Rome, ce ne fut qu'une succession d'arcs de triomphe. L'empereur lui-même était exalté par la victoire. Il était désormais le héros de la chrétienté, le nouveau Scipion, vainqueur de Carthage. Comme Scipion, il prit le titre d'«Africain», et l'on frappa des médailles conçues par des artistes italiens, où l'on voit son effigie en Carolus Imperator Augustus Africanus. Lors de cette expédition tunisienne, il se fit accompagner par un peintre de cour – ou devrait-on dire reporter de guerre? – nommé pour l'occasion: Jan Cornelisz von Vermeyen.

Vermeyen, un Hollandais, avait été le peintre de cour de la tante de Charles Quint, Marguerite d'Autriche, gouvernante des Pays-Bas. Cette dernière étant morte, l'empereur l'avait pris à son service, l'utilisant surtout pour peindre des scènes de batailles; il avait ainsi peint la victoire de Pavie sur les Français, en 1525, et la prise de Rome en 1526. Il avait le même âge que l'empereur qui, manifestement, goûtait sa compagnie: on a rapporté que l'empereur aimait à le présenter à ses courtisans, vantant sa belle silhouette « qui était gracieuse et svelte », et sa barbe, plus belle encore, au point qu'il lui arrivait de s'embroncher dedans. Karel Van Mander, le Hollandais qui, à la fin du siècle, écrivit la vie des peintres du Nord comme Vasari avait écrit celle des Italiens, nous dit que Vermeyen était honoré et chéri par l'empereur « qu'il accompagnait comme un deuxième empereur en maints pays, à Tunis et en Barbarie ». En Afrique Vermeyen exécuta une série d'esquisses qui, rapportées aux Pays-Bas, lui fournirent le matériau pour douze cartons. Ceux-ci donnèrent lieu *9* à douze grandes tapisseries tissées à Bruxelles par la firme Pannemaker, la plus célèbre filature flamande, et envoyées par la suite à Madrid.

Le souvenir de cette grande victoire sur l'Islam – pour brève qu'elle fût, car Tunis fut bientôt perdue derechef – devait longtemps alimenter le mythe des Habsbourg. Trente-six ans plus tard, il serait repris par le fils de l'empereur, Jean d'Autriche. Il inspirerait son petit-fils, l'empereur Rodolphe II. Près d'un siècle après l'événement, lors d'un séjour en Espagne, Rubens devait raviver son souvenir pour Philippe IV dans ce que Burckhardt appelle « une scène de bataille merveilleusement animée, dont le centre irradie d'un rayonnement magique de mouvement et de lumière[3] ». Cent ans plus tard encore, au XVIIIe siècle, l'empereur Charles VI ferait tisser à Bruxelles une nouvelle série de tapisseries d'après les cartons originaux de Vermeyen, série destinée à orner son palais de Vienne.

Enfin, n'oublions pas la sculpture. Là encore Charles Quint fit montre d'un goût sûr, là encore Titien joua un rôle. Le plus grand sculpteur de l'empereur était Leone Leoni d'Arezzo, concitoyen et parent du célèbre ou, plutôt, notoire poète et satiriste l'Arétin, dont les *Postures* faisaient les délices privées des curieux et choquaient publiquement les vertueux. L'Arétin était à son tour l'ami intime et l'agent officieux de Titien. C'est ainsi que Leoni fit bientôt partie du cercle de Titien à Venise. Autres amis intimes de Titien : Jacopo Sansovino et l'humaniste vénitien Pietro Bembo, secrétaire du pape Léon X. De fait, à Rome, on appelait Titien, l'Arétin et Sansovino le « triumvirat ». Bembo fut le premier mécène de Leoni : il l'emmena à Rome et le lança dans la cité des papes.

Disciple de Michel-Ange, admirateur de Léonard, Leoni avait débuté sa carrière comme orfèvre. A Rome, il fut le rival honni de Benvenuto Cellini ; l'un et l'autre menèrent une existence fort tumultueuse. Tandis que Cellini, à cause de l'un de ses nombreux méfaits, languissait au château Saint-Ange, Leoni parvint à lui ravir son poste de graveur des médailles papales ; faveur qu'il perdit bientôt : après un incident fâcheux au cours duquel il attaqua et mutila à vie le graveur allemand du pape, il fut condamné à avoir la main droite coupée. Bien qu'en fin de compte, ce sort – fatal pour son art et sa carrière – lui eût été épargné grâce à l'appui de puissants protecteurs, il fut tout de même envoyé aux galères. Il fut libéré un an plus tard, par l'entremise du plus grand capitaine de Charles Quint, le Génois Andrea Doria, qui trouva à utiliser son talent. Pour montrer sa gratitude, Leoni grava d'ailleurs une médaille où Andrea Doria figurait à l'avers et lui-même, enchaîné, à l'envers. Ainsi affranchi, Leoni continua à partager sa vie entre des actions criminelles et la délicatesse de son art. L'une de ses victimes fut l'un de ses ouvriers, qu'il tenta d'assassiner, et l'un de ses commanditaires le gouverneur espagnol de Milan, le marquis del Vasto, que Titien avait portraituré. Le successeur de Vasto décida de faire connaître Leoni à l'empereur, mais il fallait pour cela le soustraire à ses mécènes sans causer d'incident diplomatique. Le délicat système de la diplomatie privée fut donc mis en branle. On fit intervenir Titien et l'Arétin, le peintre et le pornographe, et l'on en référa au plus fameux ministre de l'empereur, le Bourguignon Antoine Perrenot, évêque d'Arras, mieux connu par la suite sous le nom de Granvelle. Comme son maître, c'était un grand protecteur des arts – ce fut, à vrai dire, l'un des principaux mécènes de son siècle. C'était également un ami personnel de Leoni; ils avaient tous deux étudié ensemble à l'université de Padoue; néanmoins, alors que Leoni demeurait un incorrigible vaurien, Granvelle était devenu des plus respectables. Tels appuis ne pouvaient manquer de prévaloir: en 1546 Leoni avait déjà rejoint Titien au service de l'empereur. Appelés à devenir des figures de proue de la sculpture du XVIe siècle, Leoni et son fils Pompe(i)o allaient exercer une influence profonde sur son développement en Espagne.

A partir de 1546 Leoni fut le sculpteur attitré de la maison des Habsbourg, de même que Titien en était le peintre presque exclusif. L'amitié des deux hommes, toutefois, eut quelque mal à survivre à la tentative d'assassinat, par Leoni, du fils cadet et chéri de Titien, Orazio, lequel séjournait chez le sculpteur à Milan lors d'un voyage entrepris pour aller récupérer les émoluments de son père; ce fâcheux incident ne devait cependant se produire qu'en 1559, après la mort de l'empereur; d'abord tout alla bien et les deux hommes vécurent longtemps amis et comblés. Ni l'un ni l'autre n'étaient attachés à la cour: comment l'auraient-ils pu, alors que la cour se déplaçait sans cesse? Leoni vivait à Milan, sa ville adoptive; il n'y avait que là, arguait-il, qu'il lui était possible de couler des statues en bronze et même les rois devaient lui envoyer leurs commandes là-bas, dans sa cité lombarde dont on ne l'extrayait qu'avec les plus grandes difficultés. Titien vivait toujours à Venise, dans la vaste demeure où plus tard Vasari devait lui rendre visite, sur le côté nord de l'île, avec vue sur Murano et les collines de sa province natale de Cadore. Mais il rencontra souvent l'empereur, lorsque celui-ci vint en Italie – en 1541, en 1543, à Asti, à Busseto, à Bologne – et deux fois au moins il franchit les Alpes pour aller le servir chez lui.

La première visite en Allemagne eut lieu en 1548. L'empereur, alors au faîte de sa gloire, se trouvait à Augsbourg. Il avait signé la paix avec la France et la paix avec les Turcs. Il s'était rendu maître de l'Italie. Il venait à peine de remporter une éclatante victoire sur les princes protestants d'Allemagne à Mühlberg sur l'Elbe: victoire personnelle puisqu'il avait lui-même mené l'armée. A Augsbourg il était en mesure de dicter sa loi à l'Allemagne. En même temps, avec l'Europe à ses pieds, il pouvait se tourner vers le problème capital de la chrétienté, la réforme de l'Eglise universelle. Le Concile de Trente, qu'il avait réuni dans ce but, siégeait. Accompagnaient l'empereur à Augsbourg d'autres membres de sa famille: sa sœur Marie de Hongrie et son frère Ferdinand, héritier de l'empire. Son fils Philippe, héritier de ses royaumes héréditaires, n'était pas loin: l'empereur l'ayant fait revenir d'Espagne, il avait effectué la traversée de Barcelone à Gênes, et se trouvait alors à Milan, en route pour Bruxelles, où l'empereur devait se rendre aussi. L'empereur se préoccupait beaucoup de Philippe à l'époque, car il voulait que son héritage fût, vaste et sûr, tout un monde en paix. C'est à Augsbourg, à ce moment-là, de sa propre main, que Charles Quint rédigea son fameux «Testament politique» pour la gouverne de son fils.

Une telle assemblée, en des temps si propices, offrait des possibilités artistiques qu'il ne fallait manquer à aucun prix. On pourrait portraiturer les Habsbourg, immortaliser la gloire et le triomphe des Habsbourg. Titien et Leoni, qu'on fit participer à cette occasion historique, se surpassèrent. Philippe avait pris Leoni et son fils Pompeo au passage à Milan et les avait entraînés à sa suite, mais le sculpteur, n'aimant pas Bruxelles, parvint à se faire rapatrier à son atelier milanais; sur le chemin, toutefois, il dut faire un détour par Augsbourg, où le retint son vieil ami Granvelle. La première pièce qu'il exécuta là-bas – la première qu'il exécuta jamais pour l'empereur – fut sa célèbre statue de Charles Quint terrassant le Tumulte: *Il Furore.* La statue illustrait un passage fameux de Virgile où le poète latin chante la gloire de son protecteur, l'empereur Auguste, restaurateur de la paix et de la loi

3

dans un monde soumis au chaos: les portes de la Guerre, dit le poète, sont fermées désormais, et le Tumulte impie, pris dans des chaînes d'airain, fulmine, impuissant [4]. Leoni exécuta également un buste en bronze de l'empereur revêtu de l'armure qu'il portait à Mühlberg. Les deux œuvres se font l'écho du triomphe récent. Elles montrent Charles Quint sous les traits du général victorieux, de l'homme d'ordre, du nouvel Auguste qui, dans son impériale cité d'Augusta, Augsbourg, célèbre le retour de la paix en Europe, la fin des dissensions à Rome.

Titien s'était lui aussi rendu à Milan afin de se mettre au service de Philippe et de peindre son portrait. Puis il alla à Augsbourg, avec deux tableaux terminés récemment, *Ecce Homo* et la *Vénus et le Joueur d'orgue* – ce dernier représentant sans doute un hommage à l'amour de la musique que professait son protecteur; il fut enjoint par ailleurs de peindre six portraits, surtout des portraits des membres de la famille de l'empereur. Il peignit également deux Granvelle, l'évêque d'Arras et son père, le chancelier impérial. Tout au long de sa visite, Titien eut libre accès à l'empereur. Peut-être fut-ce lors d'une de ces rencontres que l'empereur, nous dit-on, se baissa pour ramasser un pinceau que Titien avait laissé tomber. Il ne fait pas de doute en tout cas que l'empereur et le peintre se lièrent d'amitié. Quant Titien partit, Granvelle écrivit que son départ avait été le plus douloureux que son maître eût jamais connu. De retour à Venise Titien acheva les tableaux et les envoya par-delà les Alpes aux bons soins de ces fournisseurs universels qu'étaient les Fugger d'Augsbourg [5]. Au cours de la réalisation des toiles, son vieil ami l'Arétin lui avait conseillé d'agrémenter le portrait équestre de l'empereur victorieux de figures mythologiques et allégoriques. Telle avait été, après tout, la méthode de Leoni. Or, Titien ne suivit pas ce conseil. Il connaissait bien l'empereur alors, et avait percé sa nature profonde.

En effet, déjà dans la gloire, Charles Quint était devenu un personnage tragique et Titien en était conscient, lui dont la grandeur tient en partie à sa capacité à décrypter et à représenter la complète personnalité de ses modèles – nous pensons au merveilleux portrait du vieux pape Farnèse, Paul III, avec ses *nipoti*, où il apparaît tellement mondain, rusé et désabusé. Dans ses portraits de Charles Quint encore, le peintre montre sa perspicacité. Nous *6* voyons ici l'empereur assis, solitaire et méditatif, dans son fauteuil bas. Qui pourrait croire que c'est là le plus grand homme d'Etat de l'Europe, l'«invincible empereur» au sommet de sa gloire? Puis il y a le portrait du guerrier, *11* le grand portrait équestre, également peint à Augsbourg au même moment. Chevauchant la monture sur laquelle il avait volé vers la victoire à Mühlberg, l'empereur victorieux n'exulte pas dans le triomphe. Il a l'air grave, pensif, maître de soi, quoique serein. Nous sommes transportés trente-cinq ans en arrière: le portrait nous rap*10* pelle le dessin exécuté par Dürer du chevalier qui avance, visière relevée, indifférent à la Mort et au Diable. C'est le *Miles Christianus*, le prince chrétien du célèbre livre pieux d'Erasme.

N'oublions jamais, en effet, en considérant les dernières années de Charles Quint, de songer aux premières: passionnante époque de l'humanisme d'avant la Réforme, du Nouveau Savoir de l'espoir d'un monde éclairé, rechristianisé. Le jeune empereur avait hérité les rêves d'apostolat de Maximilien, de l'humanisme chrétien des Pays-Bas. Erasme avait été son conseiller, comme le guide spirituel de sa sœur, Marie de Hongrie, devenue veuve. C'est de sa cour que s'étaient diffusées les idées érasméennes jusqu'en Espagne, en Allemagne, en Hongrie et en Bohème, en Angleterre et en Ecosse. Or, les espoirs de naguère s'étaient révélés vains. Les lumières érasméennes avaient été soufflées par l'hérésie luthérienne, qui avait fomenté une révolution en Allemagne, alimenté l'insatisfaction à travers l'empire, ébranlé l'ordre établi dans toute la chrétienté. En proie à la désillusion, Erasme était mort dans une cité protestante. On persécutait ses adeptes.

De quelque côté que l'empereur se tournât, il voyait une église non encore réformée, une société ébranlée. Quel véritable progrès pouvait-il compter à son acquis depuis sa Joyeuse Entrée à Anvers? L'extension de l'empire n'avait signifié qu'accroissement des efforts, multiplication des problèmes. L'espoir des premiers temps était devenu aigreur: en proie à la lassitude et au pessimisme, les hommes assistaient aux remous d'un monde qui, selon eux, non réformé, courait à une perte assurée.

Or, le pire était à venir. En 1550, Charles Quint décida de réunir encore la Diète à Augsbourg. Auparavant on tint une grande assemblée de famille. Le plan de l'empereur consistait à transmettre la totalité de ses vastes possessions à son fils, le prince Philippe, en qui il fondait tous ses espoirs désormais. Il avait envisagé un audacieux compromis. Son frère Ferdinand lui succèderait, comme prévu, en tant qu'empereur mais, ensuite, c'est à Philippe que reviendrait la couronne et l'honneur de rassembler tout l'héritage. Se voyant ainsi déshérité, le neveu de Charles Quint refusa, naturellement, cette solution. Après de longues et âpres discussions, le plan échoua et aucun pacte ne fut scellé pour la génération suivante entre les deux branches des Habsbourg.

Lors de cette deuxième réunion de famille en 1551 à Augsbourg on fit appel à Titien et à Leoni. Granvelle dut ordonner à ce dernier de se déplacer – sans doute, comme à l'ordinaire, avait-il fait des difficultés – et lui intima de réaliser des bustes du roi Ferdinand et de son fils Maximilien, des statues et des bronzes de l'empereur et de son fils; il retourna à Milan pour s'exécuter – bien trop lentement, se plaignit l'empereur. La commande de Titien était autre: il devait réaliser un tableau pieux pour la mort de Charles Quint. D'après Vasari, qui rendit visite à Titien et tenait à n'en pas douter la chose des lèvres mêmes du peintre, au sommet de sa gloire l'empereur aurait confié à Titien son désir d'abdiquer et d'emporter un tableau dans sa retraite. Telle fut l'origine du *Gloria*, où *13* l'empereur, enveloppé dans un suaire, est agenouillé, en compagnie de l'impératrice, devant la Trinité.

Cela, c'était en 1551. L'année suivante, à l'échec politique succéda l'échec militaire – un double désastre. D'abord, en Allemagne, les princes protestants renversèrent le verdict de Mühlberg. Surpris par sa défaite, l'empereur dut fuir de nuit, à la lumière des torches, porté en litière d'Innsbruck par-delà les cols alpins, tandis que son ministre honni, l'indispensable Granvelle, devait abandonner ses tableaux – y compris son propre portrait –, qui furent mutilés par de peu esthètes soldats allemands. Puis vint la revanche, longtemps attendue par les Français, de son ancien triomphe de Pavie: ce fut la défaite de Metz. Pendant ce temps, dans l'Europe entière, les affrontements religieux avaient atteint leur paroxysme; les années 1550 furent une décennie décisive dans ce siècle de la Réforme: la ligne de partage. Elles marquèrent l'écrasement, dans le sang et le feu, de l'espoir humaniste, la fin d'une période où certains avaient pu croire en une chrétienté unie et réformée.

Durant un demi-siècle les plus grands esprits du temps avaient vécu dans cet espoir. Au début ils avaient eu foi, tout comme l'empereur, puisqu'il appartenait à cette génération-là; or, après 1530, après la vague de succès politiques, était venu le creux. Personne ne crut plus dès lors à la Réforme. Erasme était mort, sa vision évanouie, le réformateur Concile de Trente effondré; jusqu'aux victoires militaires qui avaient changé de camp. Au milieu du siècle une génération désabusée vira de la réforme à la persécution. C'est alors qu'en Occident s'élevèrent les bûchers et que les parties en présence se livrèrent une lutte sans merci. L'empereur lui-même en vint à regretter sa tolérance de jadis et, bien qu'il continuât à abriter de vieux érasméens à sa cour, et à lire Erasme en privé, il se mit à persécuter l'hérésie dans ses possessions. Ce sont les années des féroces «placards» contre l'hérésie aux Pays-Bas mais aussi de la «Chambre ardente» à Paris, du retour de l'Inquisition à Rome, des feux de Smithfield en Angleterre, des bûchers où périrent les érasméens à Séville et à Valladolid. Après cette hargneuse cautérisation, la chrétienté ne serait plus jamais la même.

Non plus que ses institutions. Simple vue de l'esprit chez Maximilien, le rêve impérial, grâce aux efforts de son pragmatique petits-fils, était presque devenu réalité. Mais voilà que du vivant même de Charles, la baudruche se dégonflait : c'était un archaïsme, une ombre moqueuse du passé, brièvement incarnée, dissoute aussitôt, incapable de renaître jamais. Charles Quint fut le dernier empereur universel, le dernier empereur à être couronné par un pape, de même que son précepteur, Hadrien VI, fut le dernier pape universel, le dernier non-Italien à régner sur l'Eglise universelle. Après eux, l'empire et l'Eglise devaient connaître le même déclin : l'un deviendrait une petite monarchie danubienne, l'autre une Eglise purement latine.

C'est vers le milieu de cette décennie désolante que l'empereur décida d'accomplir la résolution dont il avait fait part à Titien : renoncer, l'une après l'autre, à toutes ses couronnes. La scène de Bruxelles est célèbre et constitue l'un des grands moments de l'histoire. Néanmoins, ce n'est pas elle, ce n'est pas l'abdication d'un monarque, qui nous intéressent ici, mais la retraite d'un mécène : car, s'il tourne le dos à la gloire au moment où il se retire dans son monastère isolé au find fond de l'Espagne, l'empereur reste un esthète – il l'est peut-être plus que jamais ; mettant de côté tous les tracas, toute la pompe du pouvoir, il est déterminé à se faire accompagner par tous les tableaux et toutes les statues de sa collection, qu'il pourra désormais contempler à loisir.

8

Dès 1554 son plan était prêt dans les moindres détails. Il avait choisi le monastère, celui de Yuste en Estrémadure. C'était un monastère de l'ordre des jéronymites, cet ordre typiquement espagnol qui, plus que tout autre, avait été pénétré par les idéaux érasméens. C'était une ancienne fondation, vieille de cent cinquante ans et, comme nombre de monastères jéronymites, l'établissement était magnifiquement situé, isolé dans la campagne, au milieu de bois et de ruisseaux, havre, semblait-il, réservé à une sereine méditation virgilienne. Les appartements spéciaux de l'empereur avaient été conçus jusque dans le moindre détail. L'autel de l'église devait être élevé de manière à être visible du lit impérial: au-dessus, naturellement, prendrait place le somptueux *Gloria* de Titien. On avait patiemment inventorié les autres œuvres qui suivraient l'empereur, et chaque tableau, chaque buste, chaque statue avait sa place attribuée.

En premier lieu, toutefois, statues et tableaux devaient parvenir à la cour de Bruxelles. Comme à l'accoutumée, Leoni traînait. Dans une missive de janvier 1554, Charles Quint fit part de son impatience au gouverneur de Milan: quatre pièces de bronze, quatre de marbre n'étaient toujours pas livrées par l'atelier milanais, que leur était-il arrivé? De Venise aussi, Titien envoyait ses excuses. La réalisation du *Gloria* l'avait épuisé: il avait dû le détruire deux ou trois fois avant d'en être satisfait. En septembre 1554, cependant, il l'avait achevé et pouvait écrire à Granvelle: «Quoique Sa Majesté Impériale soit à présent préoccupée par la guerre, j'espère néanmoins que mon œuvre, de la Sainte Trinité et de la Madonne aux Cieux, que je lui envoie maintenant, le trouvera en paix et comblé par une glorieuse victoire de façon à ce qu'il puisse contempler mon tableau le cœur content[6].» Leoni prit plus de temps: un an encore. Enfin il écrivit, disant que son travail étant achevé, il pourrait l'apporter à Bruxelles en personne. On l'en dissuada d'abord, car l'empereur était prêt à partir pour l'Espagne; toutefois ce départ fut repoussé et l'on pria Leoni de venir tout de même à la cour. Il envoya donc les marbres par mer depuis Gênes, par voie de terre les bronzes, que son fils Pompeo accompagna à travers l'Allemagne, et lui-même se présenta à Bruxelles. Charles Quint le reçut bien et lui demanda de venir travailler pour lui en Espagne. Leoni prétexta la maladie pour

1 Albrecht Dürer, médaille en argent (avers) dessinée pour Charles Quint, 1521.

2 Titien, portrait de Charles Quint, Bologne, 1532.

3 Leoni Leone, *Il Furore, Charles Quint terrassant le Tumulte.* Réalisée à Augsbourg, cette statue célèbre le vainqueur de Mühlberg (1548), second Auguste.

4 La «Joyeuse Entrée» du jeune Charles Quint à Bruges. Tiré d'une miniature flamande, 1515.

5 Albrecht Dürer, *Portrait d'Erasme de Rotterdam*, gravure, 1526.

6 Titien, portrait de Charles Quint à Augsbourg, 1548. L'une des nombreuses œuvres que le souverain emporta dans sa retraite de Yuste.

7 Titien (?), présentation du peintre à Charles Quint à Bologne en 1531, dessin à l'encre.

8 Gravure représentant la scène de l'abdication.

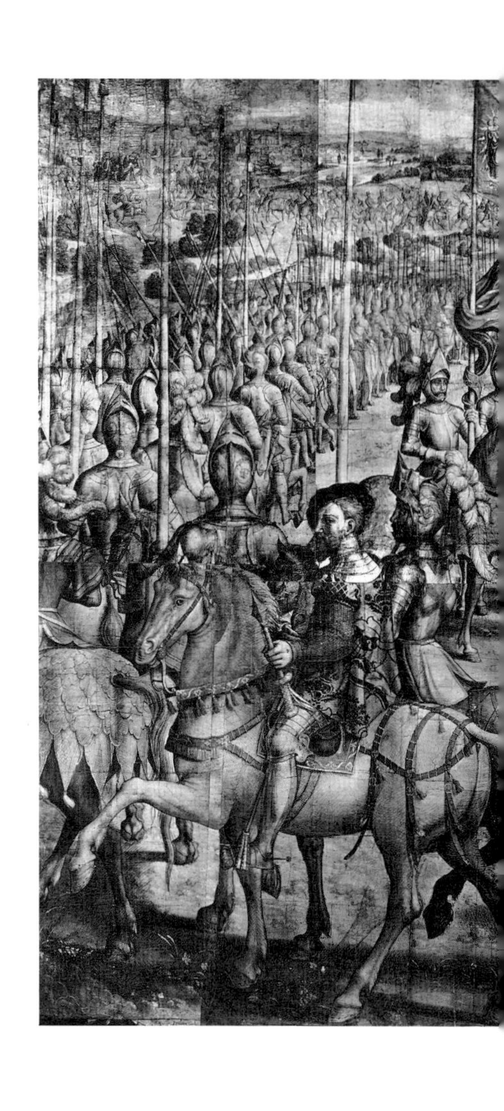

9 J.-C. Vermeyen (1500-1559), *Charles Quint inspectant son armée à Barcelone avant la bataille de Tunis en 1535*, carton pour tapisserie.

10 *(Ci-contre, en haut)* Albrecht Dürer, *le Chevalier, la Mort et le Diable*, 1513.

11 *(Ci-contre, en bas)* Titien, *Portrait équestre de Charles Quint après la bataille de Mühlberg*, détail.

12 *(Ci-dessus)* Lucas Cranach l'Ancien (1492-1553), scène de chasse figurant l'empereur au premier plan.

13 *(Ci-contre)* Le *Gloria* (1554) de Titien, qui ornait l'autel du monastère de Yuste.
14 *(Ci-dessus)* L'Escurial, la cour des Rois.

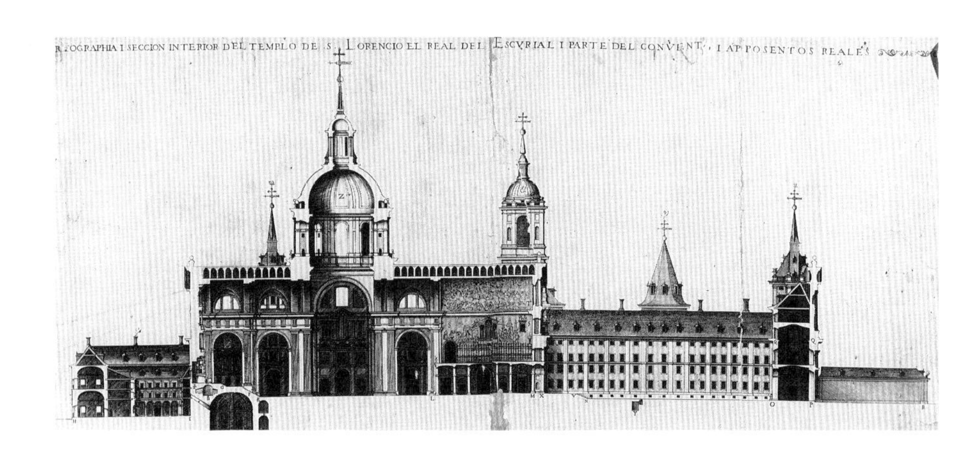

15 Tibaldi (1527-1596), projet pour une fresque destinée à l'église de l'Escurial. Les notations manuscrites sont de Juan de Herrera.

16 N. Perret, coupe transversale de l'église de l'Escurial, gravure, 1587.

17 Leone et Pompeo Leoni, *Crucifixion*, bronze.

18 Le Greco (v. 1545-1616), *l'Adoration du Nom de Jésus* (souvent appelé à tort *le Rêve de Philippe II*).

décliner l'offre, mais proposa d'y envoyer son fils avec les statues, ce qui fut accepté. Après quoi, dès qu'il le put, il retourna à Milan.

Tout était enfin prêt pour la retraite en Espagne. Après les scènes éplorées de l'abdication et des adieux, l'on déposa cérémonieusement les couronnes une à une et l'empereur et sa suite purent mettre les voiles. On suivit le parcours habituel, de Flessingue à Laredo, sur la côte septentrionale d'Espagne, puis commença la longue traversée de la péninsule jusqu'à Yuste. L'empereur était accompagné de sa sœur, Marie de Hongrie, lasse de trente années passées à la tête des affaires néerlandaises, mais qui avait veillé à ce que les plus belles pièces de sa collection la suivissent. Ses châteaux de Binche et de Mariemont abritaient vingt-quatre Titien et une magnifique collection de grands maîtres flamands: tout cela alla en Espagne et s'y peut encore admirer pour la plupart. Ainsi se forment – ou se formaient jadis – les grandes collections nationales – par un accident de l'histoire.

Il y a quelque chose de férocement romantique dans cet ultime voyage du plus grand monarque de son temps, le premier empereur à abdiquer depuis Dioclétien, plus de douze siècles auparavant. Mais ne nous laissons pas aller à une vision trop lugubre ou pathétique de l'événement. Comme les lecteurs de l'ouvrage de Stirling Maxwell le savent, il a son côté joyeux. Une fois qu'ils ont récupéré des effets immédiats de la fatigue, les hommes d'Etat retirés des affaires regrettent vite le délicieux enivrement du pouvoir, les «cassettes rouges» où sont placés les documents urgents qui sont la manne quotidienne de leur sens de l'autorité. Jusque dans sa retraite l'empereur (car il ne parvint jamais à se considérer vraiment comme un ex-empereur) veilla à ce que toutes les dépêches officielles lui fussent envoyées régulièrement, dans sa cellule aussi vaste que bien protégée. Tous les jours il dictait des missives politiques et, malgré les diverses rumeurs qui se propagèrent à l'extérieur sur sa santé chancelante, ses intimes s'étonnaient de son vigoureux appétit flamand: le courrier qui chaque semaine reliait Valladolid à Lisbonne devait, à la vérité, chaque jeudi faire un détour pour aller chercher une provision d'anguilles et autres poissons gras pour le vendredi. Le remarquable ouvrage de Stirling Maxwell nous détaille le menu de Yuste: grasses perdrix de Gama, saucisses tout particulièrement prisées par l'empereur, «de cette sorte que la reine Jeanne, aujourd'hui en gloire, s'enorgueillissait de faire à la manière flamande à Tordesillas», vanneaux et pâtés d'anguille qu'il n'aurait manqués pour rien au monde, sirop de coings qu'il goûtait particulièrement au petit déjeuner, asperges, cailles, truffes...

Néanmoins, si l'ex-empereur demeurait le glouton dont l'estomac était déjà ravagé par la nourriture trop riche qu'il prisait, il demeurait également un insatiable esthète dont l'amour pour la beauté restait constant. Ses appartements de Yuste étaient ornés des grandes séries de Titien qu'il avait emportées, y compris les célèbres portraits d'Augsbourg de 1548 et 1550, l'*Ecce Homo* et, bien sûr, le *Gloria*, qu'il contemplait si longuement que son physicien craignait que sa santé en pâtît, et qu'il regardait lorsqu'il «ressentit la première atteinte de la mort». Il avait emporté bien d'autres œuvres qui aux côtés des Titien constituent le noyau d'un des plus grands musées modernes, le Prado. N'oublions pas non plus son grand amour de la musique.

S'il ne contemplait pas ses tableaux, ou ne démontait pas ses horloges pour les remonter ensuite, c'est qu'il jouait du petit orgue dans son coffre d'argent qui l'avait accompagné dans son dernier voyage comme dans tous les précédents – cet orgue même dont il avait joué dans les oliveraies de Tunis avant de donner l'assaut de la ville et que Titien a commémoré dans ses toiles; ou alors, debout à la fenêtre, il écoutait le chœur des moines que le général de l'ordre avait spécialement fait augmenter pour lui, prompt à corriger – d'un ton quelque peu militaire, nous dit-on – toute fausse note venue s'immiscer dans la complexe polyphonie flamande.

Enfin, tout plongé qu'il fût dans la dévotion et se soumettant à de longues et curieuses pénitences, il ne nous faut pas oublier qu'il restait, *in foro interno*, un Erasméen; dans sa bibliothèque: de vieux livres érasméens; Bartolomé de Carranza, archevêque de Tolède et primat de toute l'Espagne, son confesseur, celui qui lui administrerait les derniers sacrements: un vieil Erasméen. Chassé du monde qu'en 1520 il semblait sur le point de conquérir, l'érasmisme s'était rétréci aux dimensions de la cellule de son principal défenseur, abdicataire et mourant. Une nouvelle génération avait pris la relève, dont les idées nouvelles étaient fort différentes.

Et cela devait bientôt apparaître clairement, même à l'empereur. En juillet 1558 il s'impatientait une nouvelle fois de ce que les statues de Leoni ne fussent toujours pas arrivées. Or, il en découvrit la raison. Pourquoi, écrivit-il à son secrétaire Mateo Vazquez à Valladolid, Pompeo Leoni, qui les apportait, avait-il été arrêté par l'Inquisition? La réponse du secrétaire trahit sa surprise devant telle question: Pompeo était un hérétique luthérien. On l'avait vu à un autodafé, il avait été condamné à un an d'enfermement dans un monastère – c'était là au moins un sort plus doux qu'avait subi son père aux galères. «Cela est arrivé il y a si longtemps que je croyais Votre Majesté au courant», note le secrétaire sur un ton désinvolte. Les statues, ajoutait-il cependant, étaient en lieu sûr. En réalité elles n'atteignirent jamais Yuste. L'empereur, en effet, devait mourir deux mois plus tard.

L'année suivante étaient balayés les derniers débris de ses anciens idéaux. Les Inquisitions de Rome et d'Espagne alliaient leurs forces. Tous les ouvrages d'Erasme, sans exception, étaient interdits aux fidèles; son portrait par Dürer, où qu'il fût imprimé, et tout autre portrait de lui, étaient rituellement lacérés; ses derniers partisans espagnols – dont un des anciens aumôniers de l'empereur –

furent brûlés en public; et l'archevêque Carranza lui-même disparut dix-sept ans dans les cachots de l'Inquisition. Alarmé par la tournure des événements et ressentant peut-être, vu le sort de Pompeo Leoni, une menace personnelle, un artiste qui avait suivi l'empereur en Espagne s'effraya : il s'agissait d'Antonis Mor, d'Utrecht, que Granvelle avait pris à son service et logé chez lui à Bruxelles, qu'on avait envoyé en Angleterre peindre le portrait de Marie Tudor et qu'ensuite Philippe avait emmené en Espagne. Mor, cependant, reconnaissait maintenant les signes du danger : il prit la fuite et retourna aux Pays-Bas, dont toutes les flatteries de Philippe et de ses gouverneurs ne parvinrent plus jamais à le faire sortir[7].

Ainsi était-il devenu clair que le nouveau règne avait inauguré une nouvelle direction des arts, une nouvelle attitude à leur endroit.

Philippe II et l'Anti-Réforme

La relation intellectuelle d'un individu avec le monde, sa philosophie, s'il est capable d'en avoir une, est conditionnée par l'impact qu'a sur lui ce monde durant sa jeunesse. Charles Quint était jeune à l'enivrante époque de la réforme humaniste, des lumières érasméennes dont l'échec, quarante ans plus tard, serait la tragédie de sa génération. Philippe II, son fils, le plus célèbre roi d'Espagne, dont le règne couvrit les quarante années suivantes, n'avait jamais connu cet idéal. Il ne put donc se lamenter de son échec. Né en Espagne, il y avait grandi et reçu son éducation lorsque l'érasmisme y déclinait déjà. La bataille qui se livrait autour de lui n'était plus la même : elle opposait désormais la virulente orthodoxie espagnole, rendue plus dure par les victoires déjà remportées, à l'hydre qui en Europe avait remplacé l'érasmisme, l'hérésie protestante, la révolution sociale.

Tout cela dut paraître manifeste à Philippe lorsque, âgé de vingt ans, il quitta l'Espagne pour la première fois afin de visiter le vaste empire qu'il pouvait encore alors espérer hériter dans son ensemble. Ce voyage qui le mena à Milan et à Bruxelles lui permit de rencontrer Titien et Leoni. Il découvrit également un triste spectacle : l'Italie, l'Allemagne, les Pays-Bas étaient tout convulsionnés par l'hérésie – une hérésie qui, désormais, ne semblait pouvoir se combattre que par l'incendie et le bûcher. Il en était conscient, le feu avait vaincu en Espagne. Il vaincrait en Italie. Lorsque son mariage avec Marie Tudor le fit roi d'Angleterre, le feu sembla vaincre là-bas aussi. Philippe découvrit l'Europe en ces terribles années du milieu du siècle, années de répression universelle, et ce fut alors que se forgea sa conscience politique, prétentieuse, exigeante, impitoyable, conscience qui à son retour en Espagne en 1559 ferait de lui le champion de la réaction catholique. Les grands événements de son règne – la révolte des Pays-Bas, les guerres civiles en France, la guerre contre l'Angleterre – le conforteront dans ses positions, le transformeront en ce personnage qu'il resta trois siècles durant, l'épouvantail des bons Protestants, le froid, le soupçonneux bigot de l'Escurial.

Si ce sont la personne et le mécène qui nous intéressent *14* en lui, c'est à l'Escurial qu'il nous faut l'observer; sans compter qu'il est difficile de le voir ailleurs que dans ce lugubre palais, demeure de son choix, châsse ordonnée, planifiée et chérie de son âme. L'édifice symbolise sa politique: une bureaucratie toujours vigilante, une centralisation incommode du pouvoir; mais il est également l'expression de son amour de l'art et de ses goûts en art, ceux-ci, à leur tour, étant l'expression de sa philosophie: philosophie qu'il essaya d'imposer à toute la chrétienté.

L'histoire commence avec le règne. Lorsque, héritant les couronnes abdiquées de son père, Philippe devint roi d'Espagne, duc de Bourgogne, duc de Milan et roi de Naples, il se trouvait à Bruxelles et c'est à Bruxelles qu'il apprit la grande victoire remportée par ses troupes contre les Français le 10 août 1557 à Saint-Quentin. C'était la Saint Laurent, fête du martyr espagnol. Pour exprimer sa gratitude au saint, Philippe décida de fonder une église en son honneur. Un an plus tard, il était encore à Bruxelles lorsque lui parvint la nouvelle de la mort de son père à Yuste. Dans son testament, l'empereur confiait à son fils le soin de l'inhumer et le repos de son âme.

Toute sa vie Philippe II voua un culte ardent à la mémoire de son père. Il le vénérait d'une vénération quasi religieuse: juste retour, peut-être, de la véridique affection que l'empereur avait porté à l'unique fils légitime qui lui survécût. Philippe n'était pas aimé des autres hommes: il était froid, renfermé, dénué de franchise ou de charme, fort soupçonneux, se défiant de tous et de lui-même. Au cours de ses voyages, il avait suscité parmi les sujets de son père une antipathie générale. On n'avait manqué de remarquer combien il différait de l'empereur: autant l'un était confiant, robuste, chaleureux, autant l'autre était anémique, secret, ennemi de tout plaisir animal – il n'aimait pas la chasse, ni les ripailles, ni les batailles, ni les combats de taureaux. Conscient de la méfiance qu'il inspirait, Philippe était doublement reconnaissant à son père d'être le seul à lui offrir un soutien et une affection constants. Il savait que, sur le plan humain, son père était un bien plus grand homme que lui et, tout au long de son règne, il chercha à l'imiter et, lorsque c'était impossible, à l'honorer. Il était de même consciencieux à l'excès, attentif aux moindres détails; par trop lucide, il était prompt à compenser ses carences par une exécution sans faille: il ne prenait pas toujours la bonne décision, mais tout ce qu'il décidait était méticuleusement élaboré et appliqué à une grande échelle. Cette alliance de la minutie du détail et de l'ampleur de l'application caractérise toute son œuvre – s'agisse-t-il de la conception d'une église, d'une armada, d'une litanie ou d'une tombe.

Cela, il le montra dans ses réactions aux événements des années 1557-1558 et aux obligations qu'ils lui avaient imposées. En fin de compte, Philippe choisit de remplir ses diverses obligations – à Dieu, à saint Laurent, à son père –, en une unique et spectaculaire réalisation, une vaste fondation qui, pourrait-on dire, devait résumer son règne. Il retournerait en Espagne, en ferait le centre de son empire. Il élèverait une nouvelle capitale au centre du pays. Et en un site approprié, qu'après avoir pris conseil auprès de spécialistes il déterminerait lui-même – car en ceci comme en tout, la décision lui revenait toujours –, il créerait un immense édifice réunissant un monument de la victoire, une église dédiée à saint Laurent, un mausolée consacré à son père et à toute sa famille, un monastère où seraient chantées des messes pour la paix de leurs âmes, un séminaire susceptible d'alimenter ce monastère en recrues, un palais pour lui-même et enfin un centre spirituel et politique dont la tâche serait d'imposer derechef l'union catholique dans toutes ses possessions sous la tutelle impériale de l'Espagne. Ce complexe massif – qui, tout comme Yuste, devait être une institution jéronymite –, c'était ce qu'on appelle el Escorial, l'Escurial; le titre entier en était «Fondation royale de Saint-Laurent de l'Escurial» et on le bâtit sur les hauteurs de la sierra au nord de Madrid.

La construction de l'Escurial constitue à elle seule un chapitre d'histoire. Elle occupa le roi la plus grande partie de son règne. Avec quel amour n'en étudia-t-il pas chaque phase, chaque détail! Son dernier chroniqueur à s'y être consacré, le moine jéronymite Fray José de Sigüenza, l'un des grands prosateurs de l'âge d'or de la littérature espagnole, nous a laissé un compte rendu merveilleusement complet à la fois de la construction de l'Escurial et de l'existence que Philippe II y mena. Nous voyons là le plus grand monarque de la chrétienté choisir personnellement le site, concevant personnellement le bâtiment, son économie, la routine quotidienne dans ses murs. Nul détail qui ne fût digne de l'attention royale: Philippe aimait à prendre de menues décisions, pour compenser peut-être ses doutes quant à de plus graves problèmes. Le site qu'il définit et inspecta lui-même devait être éloigné de la ville de façon à ce que les moines pussent méditer sans interruption dans un lieu qui, de par son aspect, devrait porter l'âme à une sainte méditation. Il s'évertua à rassembler d'adéquates reliques: six corps entiers de saints, cent trente crânes en parfait état, une bonne soixantaine présentant des manques, et des milliers d'ossements dépareillés. Il décida lui-même de la taille et de la disposition de chaque lit dans le dortoir, de chaque cercueil dans la chapelle mortuaire; il comptait les prières des offices, prescrivait les médicaments au dispensaire. Il vivait sur les lieux dans son sévère habit noir – ayant abandonné bientôt les parures de sa jeunesse, les vêtements chatoyants dans lesquels Titien l'avait dépeint à Milan –, moine parmi «ses moines», constant dans sa participation à l'office divin. C'est là, assis dans sa stalle du chœur de la majestueuse église qu'il s'entendrait annoncé par un fougueux messager la nouvelle de la victoire décisive de Lépante sur les Turcs en 1571, la plus grande, la plus spectaculaire bataille de toute l'histoire de la Méditerranée. Ne prononçant pas un mot, ne montrant aucune émotion, il demanderait seulement, calmement, un peu plus tard, que fût entonné un *te Deum.* C'est là qu'il apprendrait, avec la même impassibilité, la nouvelle de la tout aussi décisive défaite de l'invincible Armada, le pire des désastres de son règne, l'événement le plus spectaculaire de toute l'histoire de l'Atlantique. C'est là qu'en des jours plus ordinaires, à son bureau dans ses appartements privés, il dictait ses interminables dépêches, envoyant de pédantes instructions à ses vice-rois de Naples et du Portugal, du Mexique et du Pérou, à ses gouverneurs des Pays-Bas, de Milan ou des îles Philippines. Il lui plaisait d'écrire, comme il le dit lui-même, «depuis ce flanc de montagne pelé d'où je gouverne la moitié du monde sur quelques centimètres de papier», flanqué de ses obéissants secrétaires et de ses filles adorées qui saupoudraient l'encre humide d'un peu de sable.

Il est bien difficile de ne pas voir dans l'Escurial et dans l'existence qu'il y mena une imitation, une exagération délibérée du monastère de Yuste et de l'existence que l'empereur son père y avait passée. Comme Yuste, l'Escurial était un monastère jéronymite – quoique beaucoup plus vaste. L'empereur avait vécu trois ans au milieu de ses moines à Yuste; Philippe vécut parmi les siens à l'Escurial durant la quasi totalité de son règne. Les ouvriers furent les mêmes en l'un et l'autre lieu; les caractéristiques principales étaient les mêmes. A Yuste, la chambre à coucher de l'empereur était disposée de manière à ce qu'il pût voir le maître-autel de son lit; à l'Escurial la disposition était identique. Cependant, cette pièce est la seule où Philippe réduisit l'échelle : alors que l'église était beaucoup plus grande à l'Escurial qu'à Yuste, la chambre du roi y était beaucoup plus petite. Mais encore faut-il peut-être voir là une autre forme d'exagération : exagération, ostentation de l'humilité.

Un nouvel et vaste édifice censé remplir toutes ces fonctions et résumer toute une philosophie avait besoin du concours des beaux-arts ; Philippe, dont les goûts étaient très personnels et très marqués, Philippe qui s'occupait en personne du moindre détail, s'exprima bien sûr dans ces pierres. Comme son père, c'était un connaisseur, il avait un goût sincère pour tous les arts : architecture, peinture, musique.

Ses premiers voyages à l'étranger lui avaient fourni, en Italie et en Flandres, la première occasion de satisfaire ce goût. En Italie, nous l'avons vu, il avait rencontré Titien qui avait peint son portrait. Comme son père, il avait été enthousiasmé par Titien. Il lui avait écrit dans les termes les plus chaleureux, utilisant la formule « fiel y amado nuestro », « mon cher et fidèle ami », lui avait commandé, non seulement un portrait de lui destiné à sa future épouse Marie Tudor, mais également une série de charmantes scènes païennes : série probablement inspirée par celle, somptueuse, exécutée par Titien pour Alphonse d'Este, duc de Ferrare, trente ans auparavant, qui contient le fameux *Bacchus et Ariane*, et pour laquelle l'admiration de Philippe devait être purement esthétique et désintéressée puisqu'elle était exempte de tout contenu idéologique. [20] Baptisée « la Poésie », la nouvelle série consiste en huit tableaux représentant des scènes des *Métamorphoses* d'Ovide. Philippe les avait commandés pour son palais madrilène ; de nos jours, la série est disloquée, les tableaux, séparés par les insouciants successeurs de Philippe, dispersés sur deux continents. Comme son père, Philippe goûtait la musique, l'orgue surtout. Dans l'une des versions [21] du *Vénus et le Joueur d'orgue* de Titien, l'organiste aurait les traits du jeune prince. Lorsqu'en tant que roi il se rendit en Angleterre, il emmena son organiste, son professeur António de Cabezón, afin qu'il l'égayât dans ce pays barbare. Quant à l'architecture, l'Escurial est le *16* témoin de son goût impérieux et de sa philosophie.

Philippe, donc, inspira, dirigea les travaux de l'Escurial. Il y eut des architectes professionnels, bien sûr. Le premier, l'Espagnol Juan Bautista de Toledo, employé par le vice-roi de Naples, avait été recommandé à Philippe, lorsqu'il était encore à Bruxelles, par l'empereur en personne. Toledo était l'homme universel de la Renaissance, sachant le grec et le latin, la mathématique et la philosophie. Il avait étudié à Rome et travaillé, sous les ordres de Michel-Ange, à Saint-Pierre. Philippe le nomma *maestro mayor*, maître d'œuvre, et c'est en cette qualité qu'il commença la construction; mais il resta peu et laissa peu de traces sur le bâtiment. Ses plans furent maintes fois remaniés et il mourut en 1569. Lui succéda son assistant, Juan de Herrera, que l'on considère, bien plus que lui, comme le véritable architecte d'el Escorial.

Juan de Herrera est probablement le plus célèbre architecte espagnol. Il imposa à toute la péninsule un style qui porte son nom. Il ne fut pas toutefois élevé, comme son prédécesseur, au rang de *maestro mayor*: le poste resta vacant. Philippe, qui avait alors pris les affaires en main, ne désirait, ainsi que le formule le biographe moderne de Herrera, qu'« un architecte qui interprétât fidèlement son propre jugement et exécutât ses ordres avec une scrupuleuse exactitude et sans les discuter le moins du monde. Il ne lui serait attribué quelque liberté que sur des problèmes techniques et des formalités[1] ». Après tout, l'apprentissage de Herrera n'avait pas été celui d'un architecte. A l'instar de nombre d'architectes de la Renaissance, c'était un amateur. Possédant une formation de mathématicien et d'érudit humaniste, il avait accompagné Philippe dans ses périples, servi l'empereur à la cour et en campagne, et sa seule œuvre connue, avant que Philippe ne lui demandât de construire son vaste et ambitieux palais sur la sierra, n'appartenait pas au domaine de l'architecture, ni même de la sculpture: c'était un manuscrit – la copie d'un traité médiéval d'astrologie exécutée pour l'éducation de l'infortuné fils du roi, don Carlos.

Quelles étaient les conceptions de Philippe? Le parti pris architectural de l'Escurial est clair. Il marquait la fin d'un style florissant au siècle précédent: le style composite «plateresque», caractérisé par un mélange de gothique et de classique, de forme italienne et de décoration flamande. D'éducation flamande, Charles Quint aimait le style plateresque et, pour certains, son règne avait marqué le triomphe de ce style en Espagne. Or, tout cela, brusquement, dut cesser, non seulement à l'Escurial, mais dans l'Espagne entière. Aux yeux de Philippe, le plateresque, le «baroque primitif» de la Renaissance espagnole, était par trop imprégné de la frivolité, de l'esprit de liberté flamands; un ordre de lui, et le plateresque disparut de tous les édifices publics d'un bout à l'autre de ses possessions. De Richard Ford aux spécialistes espagnols d'aujourd'hui[2], tous ceux qui ont étudié l'architecture espagnole ont été saisis par la brutalité du changement – changement de style, certes, mais aussi d'idéologie. Tout comme l'érasmisme qui, importé par la cour flamande de Charles Quint, avait conquis la fort réceptive Eglise d'Espagne et créé, le temps d'une génération, un nouvel esprit religieux à la fois subtil, élusif et cosmopolite, les artisans allemands déplacés en Espagne en avaient infusé l'architecture d'un esprit septentrional, et créé, semblait-il, un nouveau style national. Néanmoins, l'Eglise avait réagi et porté un coup fatal à l'érasmisme et le roi avait réagi de même et porté un coup non moins fatal au plateresque. Peut-être le changement aurait-il eu lieu de toute manière; mais, avec sa volonté de fer, *el rigor filipino*, le roi ne toléra aucun retard dans le processus. Il dit – et c'en fut fait. La géométrique sévérité de l'Escurial était le corollaire architectural des féroces autodafés de Séville et de Valladolid.

En effet, en architecture comme en religion, Philippe savait exactement ce qu'il voulait. Au lieu de la luxuriance plateresque, il exigeait un retour à la gravité romaine, au décorum, tels que les avaient retrouvés les grands artistes de la Renaissance italienne. Il est vrai qu'en Italie, et à Rome même, ces valeurs se voyaient contestées déjà par une école originale et frivole, par ceux qu'aujourd'hui nous appelons «maniéristes[3]»; mais les idéaux de naguère étaient encore défendus par les géants vieillissants – Michel-Ange à Rome, Titien à Venise – et leurs disciples, et c'est vers eux que Philippe se tourna alors. Les plans de l'église de l'Escurial s'inspireraient de ceux de Michel-Ange pour Saint-Pierre, à l'élaboration desquels Juan Bautista de Toledo avait participé[4]; pour ce qui est du tombeau de l'empereur, on avança d'abord le nom de Michel-Ange, puisqu'il avait conçu ceux des papes Médicis[5]; et à qui d'autre qu'au disciple de Michel-Ange, et ami de Titien, Leone Leoni – et son fils Pompeo –, devait-on demander de fabriquer les statues en bronze des saints et des rois, destinées au grand autel et au cénotaphe? Qui d'autre que Titien devait peindre les grands retables de l'église de Saint-Laurent?

Stare super antiquas vias: défendre avec fermeté les valeurs anciennes, l'austérité antique, la simplicité romaine, telle était la philosophie de Philippe II: une philosophie qu'il appliquait à tous les beaux-arts, y compris la musique. Les frivolités de l'architecture plateresque, de la peinture et de la sculpture maniéristes seraient bannies de l'Escurial? De même les futilités de la polyphonie flamande. Les monastères jéronymites espagnols possédaient une tradition polyphonique, d'airs populaires, de *villancicos*, qui imprégnaient jusqu'à la musique religieuse. A Yuste, l'empereur goûtait cela. Mais là encore, son fils ne lui ressemblait pas: à l'Escurial, décida Philippe, on n'entendrait que le plain-chant. Une fois de plus, il ne devait pas se contenter de bannir: il étouffa, écrasa, gomma l'hérésie sous le poids de la pierre et des sons. Dans la seule église de l'Escurial on n'installerait pas moins de huit orgues: sept fabriqués spécialement par le plus célèbre facteur de l'époque, l'Anversois Gilles de Bregos, et l'orgue portable de l'empereur, qu'on alla chercher à Yuste pour le placer dans la sacristie; les autorités monastiques devaient, en outre, fournir assez de moines musiciens qui pussent jouer sur tous les orgues en même temps, afin d'emplir la majestueuse église d'échos dévots et graves.

Cet extrémisme, cette exagération de l'effort caractérisait la moindre des actions du roi. Tout, chez lui, était surenchère. A quoi bon être le plus riche, le plus fort des rois de la chrétienté, sinon pour user de son droit de préemption? C'est ainsi que Philippe dota son pays de monuments gigantesques, d'invincibles armadas, de dépôts entiers de reliques, et le lançait sans cesse dans des orgies nationales de prières; au moment de mourir, il n'hésita pas non plus à utiliser envers Dieu son droit de préemption: dans son testament, il ordonnait que fussent chantées, dans toutes les églises que comptaient ses possessions, trente mille messes, en même temps, et aussi vite que possible. «Trente mille, et toutes d'un coup! s'exclame, sceptique, l'historien Louis Bertrand. A-t-on jamais vu pareille violence faite aux Cieux? C'est assurément un intolérable égoïsme, que de s'arroger le droit de disposer de tant de vies humaines... [6]»

Intolérable égoïsme, certes. Maintes fois transparaît, sous l'air humble et emprunté du personnage, le furieux égoïsme qui sait ne pouvoir se permettre une telle humilité. Cet égoïsme-là était cannibale et digérait de moindres égoïsmes, tout comme l'Escurial digéra Yuste – et tous ses trésors: l'empereur, ses tableaux, son orgue, tous arrachés à la retraite désirée par Charles Quint –, paisible, loin du monde, dans son jardin tranquille, traversé par des ruisseaux, à l'ombre de noyers et de châtaigniers; et ces trésors furent donc transférés et exposés, véritables trophées, dans le nouveau, gigantesque et froid mausolée. En 1570, lors d'une visite de deux jours à Yuste,

Philippe ne voulut pas dormir dans la chambre à coucher de son père : par respect pour sa mémoire, il dormit dans une alcôve adjoignante, « si étroite que c'est à peine si un petit lit pouvait y tenir[7] ». Ce même respect ne l'empêcha pas, trois ans plus tard, de sacrifier son père à sa nouvelle et ostentatoire fondation.

Et pas seulement son père : toute la dynastie – du moins, les Habsbourg d'Espagne – fut déterrée et enchâssée dans le grandiose monument familial. Car telle était l'une des fonctions de l'Escurial. La cérémonie de la mise au tombeau, en 1574, marqua en un sens son inauguration officielle.

Ce fut une cérémonie étrange et spectaculaire. Passionné à la fois par les détails et la mort, Philippe veilla personnellement à l'élaboration de chaque phase de l'opération. Huit dépouilles royales devaient quitter leur sépulture, puis, avec une lenteur sépulcrale et un cérémonial fort pieux, traverser le morne plateau ibérique : la dépouille de l'empereur, transférée de Yuste à une plus somptueuse version de Yuste ; la dépouille de l'impératrice Isabelle, son épouse, et celle de l'infant don Fernando, son deuxième fils, qui furent rapportées de l'extrême sud de la péninsule, de la chapelle royale de Grenade, où les corps des « Rois Catholiques », Ferdinand et Isabelle, qui n'étaient pas des Habsbourg, purent demeurer en paix dans leurs magnifiques sépultures ; la dépouille de doña Juana, reine et mère de l'empereur, rapportée de Tordesillas – dans le nord – où on l'avait tenue cachée la plus grande partie de son existence, car elle était atteinte de folie. Nul doute que c'est d'elle que l'empereur et son fils tiraient tous deux leurs goûts macabres : durant son court règne, le cercueil de son époux l'avait suivie dans le moindre de ses déplacements et chaque soir le cadavre était exposé dans sa chambre, au milieu des cierges. De Talaveruela, à la frontière du Portugal, arrivèrent également à l'Escurial le corps de doña Leonora, sœur de l'empereur et reine de France ; et enfin les dépouilles de son autre sœur, Marie de Hongrie, et de son troisième fils, l'infant don Juan, ainsi que de la première épouse de Philippe, doña Maria du Portugal – toutes enlevées à leurs tombeaux de Valladolid, au sud. Ainsi du Nord, du Midi et de l'Occident les trois processions funèbres, conduites par des évêques, grossies par une foule de moines, de membres du clergé, d'envoyés royaux et de leurs suites, de chevaux et de mules, accompagnèrent les catafalques tout tendus de noir à travers des villages pieusement recueillis et convergèrent vers l'Escurial, où, lors d'une terrible tempête – ce vent démoniaque d'el Escorial en lequel les moines voyaient un sinistre présage –, les dépouilles furent enfin déposées dans la crypte souterraine et nue que Philippe leur avait fait préparer. Le caveau le plus imposant était celui de l'empereur; Philippe y fit graver l'inscription suivante, témoin de sa piété filiale: «Si parmi la postérité de Charles Quint il se trouve un homme qui surpasse la gloire de ses actes, qu'il prenne cette place: sinon, incline-toi avant de te retirer[8].»

Après l'architecture et la musique, revenons-en à la peinture: car, bien sûr, il fallait décorer autels et appartements de l'Escurial. La nouvelle que le roi d'Espagne, le plus grand des mécènes couronnés, construisait un immense palais, se répandit naturellement dans les milieux artistiques, autorisant tous les espoirs. Les princes feudataires d'Italie avaient à cœur de satisfaire leur suzerain, les familles papales savaient à qui plaire, les ambassadeurs espagnols en poste avaient leurs consignes. Mais surtout, le roi professait des vues arrêtées. De façon compréhensible, il se tourna d'abord vers Titien, qu'il invita, par l'entremise de son ambassadeur à Venise, à peindre un *Martyre de saint Laurent* pour le maître-autel de l'église. On ne pouvait guère demander au vieil homme – il avait au moins soixante-quinze ans – d'aller en Espagne; toutefois, il s'exécuta, envoyant plusieurs toiles, dont un saint Laurent. Quoique Philippe eût également essayé de s'attacher les services du Tintoret et de Véronèse, ils refusèrent aussi de se rendre en Espagne. Ayant sans doute eu vent des déboires de Pompeo Leoni et d'Antonis Mor, ils préféraient rester hors d'atteinte de la fort redoutée Inquisition espagnole.

Jusqu'au bout Philippe continua de s'en remettre à Titien. Après la grande victoire de Lépante, en 1571, Titien peignit pour lui l'*Allégorie de la Bataille de Lépante* et *l'Espagne venant au secours de la religion.* L'artiste travaillait encore pour le souverain lorsqu'en 1576 il mourut, âgé – selon ses propres calculs – de quatre-vingt-dix-neuf ans. On pense aujourd'hui qu'il était plus jeune, en réalité, mais de peu. Quoi qu'il en soit, il est bien connu que les peintres s'améliorent avec l'âge.

19

L'année même de la mort de Titien, s'offrit à Philippe une nouvelle possibilité qui l'enflamma. L'un de ses feudataires, le grand-duc de Toscane, lui envoya une statue de marbre qu'il disait remarquable. Il s'agissait de la *Crucifixion* de Benvenuto Cellini, conçue avec amour pour la propre tombe du sculpteur, mais que le prédécesseur du grand-duc avait réussi à lui soustraire. Philippe accepta le présent avec joie. Attendant avec impatience l'arrivée de la statue – la première à parvenir au palais –, il se proposa de lui accorder la place d'honneur. Son arrivée fut fêtée comme celle d'un grand prince; on ne regarda pas à la dépense, les cérémonies se succédèrent, elle fut portée de Madrid à l'Escurial avec le plus grand soin, par cinquante hommes – le roi n'ayant pas voulu confier œuvre si précieuse à de vulgaires mules. Lorsqu'on la dévoila, néanmoins, et qu'il put l'observer, Philippe perdit tout enthousiasme: la statue, découvrit-il, ne possédait ni *gravedad* ni *decoro* – gravité, décorum, deux qualités à ses yeux primordiales. A l'opposé, la statue était païenne, sensuelle, voluptueuse même; et nue. Le pieux monarque couvrit la partie sensible de l'anatomie de marbre avec son mouchoir, qui, dit-on, fut longtemps conservé comme relique. Puis il relégua la statue dans une sombre chapelle derrière le chœur et la place qu'on lui

avait destinée à l'origine demeura vide, jusqu'à ce qu'on
17 l'eut ornée, en temps voulu, par une *Crucifixion* plus digne, fournie par la fidèle entreprise familiale des Leoni père et fils. Voilà comment, de Milan dont il était toujours indéracinable, Leone Leoni remporta une ultime victoire sur son vieux rival Benvenuto Cellini[9].

Ainsi en 1576 Philippe s'en remettait encore aux artistes de son père, Titien et les deux Leoni. N'existait-il donc pas de nouveaux talents pour la nouvelle génération? Ce n'était pas faute de chercher... les gouverneurs, les ambassadeurs du roi d'Espagne écumaient l'Italie. Hélas, la grande période de l'art italien semblait révolue. «Nous n'avons pas de peintres à notre disposition ici comme au Pays d'Embas [les Pays-Bas]», écrivait le cardinal Granvelle alors ambassadeur à Rome, «car Titien, à Venise, est de santé bien fragile, Michel-Ange n'est plus et, après eux, je ne vois pas que puissions trouver mieux ici qu'au Pays d'Embas...» Nul doute qu'il pensait à Antonis Mor, *mon peintre* – qu'on ne pouvait convaincre, toutefois, de quitter Anvers pour l'Espagne. Par bonheur, en ces temps mêmes où l'Italie semblait si inféconde, si vide de talents, arriva à la cour un peintre espagnol qui apportait comme *prueba* – échantillon de son travail – une toile
23 représentant le baptême du Christ. Juan Fernández de Navarette, natif de Logroño, était allé en Italie suivre l'enseignement de Titien; comme il était sourd-muet, on l'appelait *el Mudo.*

Philippe aima la peinture d'el Mudo: il y apprécia, rapporte son chroniqueur, «une grâce particulière dans le respect de la *gravedad y decoro*»: qualités romaines que, précisément, l'Escurial devait incarner, et que les maniéristes italiens de la nouvelle génération sacrifiaient à une élégance pleine d'affectation. El Mudo fut donc engagé et travailla au palais durant les onze années qui suivirent, secondé par une équipe d'obscurs artistes italiens. C'est d'ailleurs parce qu'ils étaient inconnus qu'ils avaient accepté de séjourner dans un pays qui, au mieux, leur paraissait triste et morne, et, au pire, dangereux – sans compter que l'atmosphère à la cour était, de l'aveu d'un ambassadeur de Venise qui s'y trouva un temps, «froide comme glace». Cependant, el Mudo, souvent malade, devait fréquemment s'absenter; puis il mourut en 1579 et Philippe dut lui trouver un remplaçant. Or, il s'en présenta un sur-le-champ. En outre, il résidait déjà en Espagne. Bien qu'il ne fût pas natif du pays, nous le tenons pour le plus grand peintre espagnol. Ce remplaçant était en fait le plus grand artiste de sa génération, le seul peintre dont le génie soit incontestable pour la période qui sépare Titien de Rubens. Nous le connaissons tous sous son surnom espagnol, «le Grec», *el Greco.*

Qu'un génie grec puisse faire irruption dans l'Europe occidentale du XVIe siècle peut paraître surprenant à première vue. La Grèce, semblait-il, avait vécu. L'empire byzantin avait été aboli par les Turcs un siècle plus tôt. Tout ce que la Grèce comptait de culture, d'aristocratie, d'élite intellectuelle avait succombé. L'église grecque s'en était retournée aux catacombes. Grâce à d'antérieures conquêtes vénitiennes, toutefois, survivait un peu de Byzance hors des limites de l'empire ottoman. Sur la côte de Dalmatie, dans les îles de l'Illyrie et surtout en Crète, se perpétuait la tradition grecque. Qui plus est, au XVIe siècle, ces contrées sous domination vénitienne, et particulièrement la Crète, connurent un renouveau des arts et des lettres grecques. Des Crétois éduqués à Venise apprirent le grec aux humanistes italiens, corrigèrent des textes pour Erasme et les presses aldines, soutinrent l'Eglise grecque dans sa captivité. Le seul ouvrage grec célèbre de l'époque, le poème *Erotokritos*, fut écrit en Crète; les seuls hommes d'Eglise, les seuls théologiens grecs venaient alors de Crète; et il y avait en Crète une école florissante de peinture byzantine où étudia un certain Domenikos Theotokopoulos – qui n'était autre que notre Greco. Peintre byzantin, il avait déjà acquis une touche personnelle avant son séjour à Venise, où il se rendit comme tout Crétois ambitieux, et où il travailla dans l'atelier de Titien, pour ensuite aller à Rome chercher des mécènes.

En Italie, il ne devint jamais italien. Jusqu'au bout il devait rester grec, amoureux des classiques grecs, de la philosophie grecque, et ses amis et mentors là-bas venaient tous de son propre univers gréco-illyrien. A Venise il subit l'influence du Dalmate Franjo Petrić, mieux connu sous le nom de François Patrizzi, le plus admiré des philosophes platoniciens, et que l'Eglise ne manquerait pas de condamner. A Rome il eut pour protecteur le peintre en miniature et non moins dalmate Jure Clović, mieux connu sous le nom de Jules Clovio, lequel, appartenant à l'époque au groupe d'artistes assignés à la décoration du palais Farnèse – le splendide palais que le pape Paul III se faisait construire à partir des ruines du Colisée, introduisit le Greco dans ce grand centre du mécénat romain. Le Greco y attira l'attention, comme à l'accoutumée, par son génie et son excentricité. Il exécuta un autoportrait qui, nous rapporte-t-on, «étonna tous les peintres de Rome», mais qui est aujourd'hui perdu. Il les surprit aussi par son effronterie. Un jour, il apprit que le fanatique Pie V avait ordonné que l'on revêtît la nudité des figures du *Jugement dernier* de Michel-Ange: car la pruderie de la Contre-Réforme avait déjà conquis Rome. Avec quelque arrogance le Greco proposa que toute la composition de Michel-Ange fût détruite: il la remplacerait lui-même par une version tout aussi bonne et plus décente. Tous les peintres, tous les amateurs d'art furent tellement choqués, nous dit-on, que le Greco «dut partir en Espagne». Trente ans plus tard, à Tolède cette fois, il aurait dit de Michel-Ange que ce n'était pas un mauvais homme, mais qu'«il ne savait pas peindre».

A la vérité, l'indignation des peintres romains ne fut pas seule responsable du départ du Greco pour l'Espagne. Déjà les émissaires du roi l'avaient remarqué, et il était prêt à partir. Ce qu'il fit vers 1575. Nous ignorons s'il alla d'abord à Madrid ou à Tolède; qu'importe d'ailleurs ! Nous savons qu'il séjourna à Tolède où il peignit des retables pour l'église reconsacrée de San Domingo el Antiguo ; or, entre Tolède, ancienne capitale de l'Eglise, et Madrid, nouvelle capitale d'Etat, existait un lien naturel. L'archevêque de Tolède, primat de toute l'Espagne et Grand Inquisiteur, était ministre royal. Tous les chanoines de Tolède appartenaient aux plus grandes familles. Quiconque était connu dans l'une des deux cités l'était dans l'autre. Il se peut que le Greco ait travaillé anonymement à l'Escurial, de même qu'el Mudo travailla à Tolède. Il fut très certainement au service du doyen du chapitre de Tolède. Il est possible que sa première œuvre espagnole ait été le célèbre tableau où l'on voit Philippe II agenouillé, en compagnie de toutes les créatures des cieux, de la terre et des mondes souterrains, aux pieds de la Sainte Trinité ; peut-être cette toile fut-elle la *prueba* qu'il offrit à Philippe pour obtenir sa protection [10]. Manifestement inspirée du *Gloria* de Titien, elle conviendrait à l'Escurial comme le *Gloria* à Yuste – quoique, bien sûr, ledit *Gloria*, tout comme son propriétaire, avait été englouti par l'insatiable palais.

18

En tout cas, après la mort d'el Mudo en 1580, Philippe décida de donner sa chance au Greco. Dans l'église de l'Escurial, il avait fait élever une chapelle dédiée à saint Maurice, chef de la légendaire légion thébaine, dont il avait eu la chance d'acquérir la dépouille entière. La légitimité du saint, comme celle de la légion, était douteuse, mais la relique était bien réelle, et placée dans un cercueil richement orné d'or, d'argent et de pierreries ; le roi désirait maintenant un retable qui commémorerait le martyre collectif. Le Greco fut convié à le réaliser. On dressa un contrat en bonne et due forme ; et le souverain, avec son habituel souci des détails, stipula par écrit que le Greco devrait recevoir une avance et la peinture nécessaire, « spécialement du bleu outremer », car il voulait que l'œuvre fût achevée « le plus possible » – comme il exigeait toujours que tout se fît, puisque lui ne faisait jamais rien.

22

Par malheur, lorsqu'en novembre 1582 le Greco présenta l'œuvre terminée, elle fut mal reçue. «Sa Majesté, devait se rappeler plus tard le bibliothécaire royal José de Sigüenza, ne l'aima pas; ce qui n'est pas pour étonner, puisque rares sont ceux qui l'aiment, bien qu'on s'accorde à reconnaître qu'il y a là du talent, que l'auteur a du savoir et qu'on peut admirer de lui plusieurs excellentes choses.» L'ennui était, poursuivait-il, que le tableau ne se conformait pas aux lois de la raison et de la nature, ainsi que l'art véritable devait le faire, pas plus qu'il n'inclinait à la prière, quand ce devait être le principal but, et effet, de toute peinture. Sur tous ces plans, «notre Mudo» était meilleur. La toile fut donc reléguée dans la salle du chapitre et l'on fit appel à un autre peintre pour réaliser un retable plus digne. Le Greco n'eut plus jamais à exécuter quoi que ce fût pour l'Escurial ni, autant que l'on sache, pour Philippe II.

Telle fut la triste récompense des pieux efforts, de la part du plus grand peintre catholique de son temps, pour s'attirer les faveurs du plus catholique des rois. Avec le recul, cependant, il est aisé de comprendre que la tentative était vouée à l'échec. Philippe II n'était pas homme à déléguer ses pouvoirs, en politique comme dans le domaine artistique. En outre, nous l'avons déjà assez répété, il décidait du moindre détail. De même que, de sa propre plume, il consignait tous ses ordres quant à la disposition des lits dans l'hôpital de l'Escurial comme des couchettes des marins dans les navires de son Armada, pour lesquels il indiquait aussi la ration de vin d'Andalousie qui leur serait impartie, de même qu'il distribuait le bleu outremer à ses peintres ou spécifiait comment il fallait empaqueter ses tableaux lors de leur transport, de même il corrigeait la prose de ses ambassadeurs et les compositions de ses peintres. Pour tout cela, en effet, il avait des goûts arrêtés. Or ses goûts étaient très différents de ceux du Greco. Très peu pour lui, ce mysticisme flou, cette libre expression que le Greco consacra, lui donnant une intensité religieuse des plus légères. Très peu pour lui, ce mystérieux usage byzantin de l'espace, ces bulles aériennes délimitant les divers théâtres de ses grandes constructions cosmologiques, tellement dérangeantes pour qui est habitué aux exactes mesures mathématiques de la tradition occidentale. Elevé à l'occidentale, accoutumé au détail concret, aux structures rationnellement ordonnées de l'art de la Renaissance, Philippe rechignait devant ce style étrange et abrupt qui, violant *gravedad* et *decoro*, anticipait, par-delà les frivoles élégances du maniérisme, les héroïques tensions, les agonies, les extases du baroque.

Ainsi le Greco retourna à Tolède où il passa le reste de ses jours, peignant de sublimes retables, des portraits de mécènes, et des vues panoramiques de la cléricale cité. Il y vécut, fier, réservé, indépendant jusqu'à la fin. Tel son vieux maître, il menait grand train. Les vingt-quatre pièces qu'il louait à un noble personnage étaient emplies de tableaux et de copies miniatures de toute son œuvre; il possédait une belle bibliothèque de classiques grecs et de poésies de la Renaissance; il louait des musiciens qui jouaient lorsqu'il prenait ses repas. Il se faisait payer cher, dépensait beaucoup, mais il eut toujours peu d'amis, qui, comme avant, étaient grecs pour la plupart. Il parlait encore grec avec eux, lisait le grec, signait ses tableaux de son nom en grec – tandis qu'à l'Escurial, on se souvenait vaguement d'«un certain Domenico Greco qui à présent vit à Tolède, où l'on peut voir de lui d'excellentes choses».

Après l'échec du Greco, Philippe dut se contenter de ses obscurs Italiens, qui, toutefois, en 1586, furent rejoints par un autre peintre célèbre découvert et recommandé par l'ambassadeur espagnol à Rome: Federigo Zuccaro, grand prêtre (académique) du maniérisme italien, artiste prétentieux, à l'aplomb imperturbable, dont les œuvres étaient fort estimées en France, en Allemagne et en Angleterre, et qui était alors employé, comme Clovio et le Greco jadis, par ces mécènes universels qu'étaient les Farnèse.

Philippe saisit l'occasion. Il nomma Zuccaro *pintor regio*, et lui attribua une rente de deux mille ducats l'an; lorsque l'heureux artiste arriva à l'Escurial, accompagné de cinq assistants, sa renommée était telle que, comme le rapporta un moine avec quelque acrimonie, «c'est à peine si nous ne sortîmes pas tous l'accueillir avec un palanquin». On s'en remit à lui en toute chose, il put choisir les tableaux qu'il exécuterait: un grand retable pour l'église – encore une version du martyre de saint Laurent – et plusieurs autres œuvres, dont quatre-vingt-dix scènes inspirées de la *Divine Comédie.* Lorsque les toiles furent achevées, toutefois, «rares furent celles qui agréèrent au roi, ou à qui que ce fût»; et c'est ainsi que moins de trois ans après sa nomination, on le renvoya en Italie avec une royale poignée de main et une pension. «Ce n'est point lui que nous devons blâmer, dit le roi fort tolérant, mais ceux qui l'ont envoyé», et d'ordonner que l'on efface les fresques de Zuccaro et qu'on peigne par-dessus ses tableaux ou les relègue dans quelque pièce retirée où lui-même ne les pourrait jamais voir. Zuccaro, conclut Philippe, n'était en fait bon que pour le pape, lequel, comme il s'en plaignait souvent, ne comprenait rien à la religion et devait sans cesse être remis à sa place.

Peut-être valut-il mieux que Philippe, avec ses vues très arrêtées sur les positions respectives du pape et du roi d'Espagne, ne vît jamais certaines des toiles les plus prisées de Zuccaro à la Sala Regia du Vatican. Ainsi, il n'aurait pas aimé le tableau représentant l'empereur Henri IV prosterné, baisant humblement le doigt de pied gracieusement présenté de l'insolent vicaire du Christ, le pape Grégoire VII. Quoique, inversement, il valut mieux que le pape ne vît pas certaines œuvres produites dans l'Espagne catholique. Je pense en particulier à la nouvelle version de la statue de Leoni, Charles Quint triomphant d'*Il Furore*, qu'un artiste inconnu exécuta pour le duc d'Albe. Cette peinture sur bois intitulée *le Duc d'Albe détruisant les ennemis du roi Philippe II* évoque saint Georges terrassant le dragon; le dragon est un monstre tricéphale dont les trois têtes sont fort ressemblantes; il y a là l'électeur de Saxe, Elizabeth Ire et – reconnaissable à sa triple tiare –, le pape[11].

Après le fiasco de Zuccaro, Philippe ne désespéra toujours pas. Il avait à son service un autre artiste italien, Pellegrino de Pellegrini, dit Tibaldi, un Lombard qui avait été architecte à Milan et qui, selon Sigüenza, n'avait pas touché un pinceau depuis vingt ans[12]. Voilà qui n'était pas pour gêner Philippe, à qui ne manquait pas le courage de la spéculation. N'avait-il pas déjà eu recours à Herrera? On le fit donc venir en Espagne, le nomma peintre de cour, le paya grassement, et le mit au travail, en compagnie de trois autres artistes, au grand cloître et à la bibliothèque. Durant les huit années suivantes, de 1588 à 1596, il peignit d'immenses fresques et d'innombrables détails, répétant les cinq grandes toiles que Zuccaro avait exécutées avec si peu de bonheur. Et tandis qu'il peignait, ce dernier artiste royal – «l'un des plus distingués élèves et disciples de Michel-Ange», comme l'appelle le fervent chroniqueur – sentait toujours le roi dans son dos: il lui indiquait quels saints, quels héros et quelles scènes historiques il lui fallait inclure, déterminait les proportions exactes, modifiait les détails. Nul doute que cette occupation distrayait le monarque des sombres événements qui marquèrent ces huit années: la destruction de l'invincible Armada, l'échec total en France, la perte des Pays-Bas, le sac de Cadix par les Anglais, la famine et la peste. Une fois son œuvre achevée, Tibaldi retourna à Milan, auréolé de gloire. En récompense on lui avait octroyé un capital de cent mille escudos et le titre de marquis, et on l'avait fait seigneur de sa ville natale. Toutes choses dont il ne profita guère puisqu'il devait mourir bientôt. Mais il avait bien servi Philippe. Deux ans plus tard, lorsque le monarque succombait à son tour à une longue, à une hideuse, à une douloureuse agonie, affrontée, au demeurant, avec un extraordinaire courage, une résignation toute chrétienne, une fortitude des plus stoïques, il pouvait se dire qu'une au moins de ses ambitions s'était réalisée, grâce, surtout, à Tibaldi. L'immense palais qui l'entourait et dont il n'occupait qu'une simple cellule, mais qui, dans la mégalomanie de sa démesure et l'exactitude de ses détails, était un réceptacle si adéquat de sa personnalité – sien à ce point qu'aucun autre roi d'Espagne ne l'habitera jamais et qu'il reste jusqu'aujourd'hui le froid, le gigantesque musée de la maison d'Autriche –, ce palais, donc, était enfin terminé. Terminé? L'était-il vraiment? Correspondait-il au projet de Philippe? Tibaldi! Couronnement ou chute? Difficile, en voyant ses immenses fresques, de ne pas acquiescer au jugement exprimé par l'incomparable Richard Ford: «Les dimensions sont outrées, le dessin est médiocre, aucun esprit n'anime leur masse, on s'en éloigne avec le désir de ne plus jamais les revoir, elles ou quoi que ce soit qui leur ressemble.» Nous nous demandons si les goûts de Philippe, toute sa philosophie n'étaient pas anachroniques; si ce grand mécène, amateur d'arts et de sciences, ce collectionneur, commanditaire et juge de tableaux, de livres, de sculptures, n'avait pas en fait perdu le contact avec son temps, n'était pas en fait épris d'un autre âge, qu'il aurait essayé en vain, par la seule force de son autorité, de recouvrer tandis qu'il lui échappait sans cesse – puisqu'il n'était plus et ne pouvait lui procurer que des spectres chagrins et décevants. Albert Speer, l'architecte d'Hitler, bâtisseur des palais, des stades, des monuments publics démesurés du Troisième Reich m'avoua un jour que le moment de vérité dans sa carrière avait été sa visite, lors d'une permission durant la guerre, de l'Escurial. Il comprit à sa vue, prétendit-il, que, conçu à une échelle similaire, son propre travail était fondamentalement vide et creux, tout entier consacré à une monumentalité sans âme; le vaste édifice qu'il avait eu alors sous les yeux était Dieu sait comment encore animé par un esprit qui, transcendant la pure vanité humaine, parvenait à rassembler et élever le gigantesque agrégat de pierre.

Voilà un commentaire lumineux sur l'architecture de Speer, mais que peut-il nous apprendre sur l'Escurial? Quel est l'esprit qui a présidé à sa construction?

On a dit parfois de l'Escurial qu'il était l'expression de l'esprit de la Contre-Réforme, dont Philippe aurait été le champion séculaire. Je crains de n'être pas d'accord avec cette assertion, car je ne pense pas que la Contre-Réforme, dans le sens où l'on entend généralement ce terme, correspondait aux idéaux de Philippe ni qu'il l'ait favorisée de grand cœur. Dans son inspiration originelle, la Contre-Réforme était un mouvement italien qui, comme tous les mouvements dans leur période vive, assimila, absorba, convertit à son profit quelques-unes au moins des idées neuves qu'en apparence elle combattait. Elle s'appropria, détourna, transforma une parcelle du nouvel humanisme, du nouveau mysticisme érasméen de l'époque; c'est grâce à ces idées nouvelles, récupérées pour le compte du catholicisme et intégrées à lui, que l'Eglise de Rome put reconquérir certaines de ses provinces, une partie du monde de la pensée abandonnée plus tôt au protestantisme. Dans le domaine artistique, l'expression de la Contre-Réforme est le baroque triomphant du siècle suivant – style qui, du point de vue géographique, domine les zones recouvrées par le catholicisme: les Flandres, la Bavière, l'Autriche, la Bohème; or, qu'est-ce que ce style, sinon le classicisme de la Renaissance, auquel on a insufflé une mobilité, une énergie, une élasticité inédites, un nouvel esprit empreint de dynamisme et d'assurance? Philippe n'était pas l'homme de cette Contre-Réforme-là. L'Eglise espagnole n'assimila rien de l'érasmisme, elle nourrissait la plus grande défiance à l'encontre des mystiques qu'elle devait plus tard célébrer comme ses plus grandes gloires.

Si, vers la fin de son règne, Philippe usa pour sa politique des forces de la Contre-Réforme, ce fut toujours à son corps défendant, avec hésitation et suspicion. Homme, plutôt, de l'Anti-Réforme, ce n'est pas vers l'avenir qu'il tendait, mais vers le passé, vers l'univers serein et tout intellectuel de la Haute Renaissance, non encore perturbé par l'hérésie.

Témoin son goût en art. Ses grands maîtres, Titien, Leoni, Toledo, avaient d'abord été ceux de son père. Lorsqu'ils disparurent, il ne put leur trouver de successeurs adéquats : le maniérisme – le maniérisme romain – avait vu le jour, expression d'un monde replié sur soi, fuyant, affecté, emprunté. Majestueux, impassible, le style de la Haute Renaissance, à la dignité, à la gravité obtenues sans effort, n'était plus et, dans les temps nouveaux, nul artiste ne pouvait répéter des conventions qui avaient cessé d'être spontanées. Par sa volonté de fer, par l'intermédiaire de son agent Herrera, Philippe put imposer à l'Espagne une architecture rigoureuse et anachronique ; mais lorsqu'il s'agit de la décorer, il ne trouva plus personne pour le faire. Ayant renvoyé le Greco, unique génie de sa génération, venu, de plus, offrir lui-même ses services, ayant répudié Zuccaro qu'on avait voulu lui imposer, il dut se contenter de peintres de second ordre qui, quelle que fût leur docilité, n'en demeuraient pas moins des maniéristes.

N'oublions pas, toutefois, que Philippe n'était pas seulement un mécène, mais également un collectionneur ; s'il fut déçu par les artistes de son temps parce que les artistes vivants n'étaient plus capables désormais de représenter sa vision idéale du monde, il fut mieux servi par les vieux maîtres de sa collection privée – collection héritée en partie, puis complétée par des achats, et, à l'occasion, par des confiscations. Avec les tableaux de son père et de sa grand-tante Marguerite d'Autriche, il hérita la noble collection de sa tante, Marie de Hongrie. Bien sûr, il en laissa beaucoup aux Pays-Bas, qui continuèrent à orner les murs des palais où ils étaient suspendus ; mais ceux qu'il appréciait particulièrement, il les fit venir en Espagne, à quelques lieux de Madrid, au palais du Pardo, dont son père avait commencé la construction en réponse au Fontainebleau de François Ier. Il dota l'édifice d'une nouvelle galerie où les visiteurs de marque purent admirer la portion publique de la collection royale. L'idée d'un tel musée lui avait été suggérée par l'un des courtisans de son père, Diego de Guevara, lequel était lui-même le parfait exemple de l'homme cultivé de la Renaissance, collectionneur de pièces de monnaie et de tableaux, humaniste et érudit. Il avait accompagné l'empereur à l'étranger, à Tunis, entre autres. En son vieil âge, il écrivit des *Commentaires sur la peinture* et, à sa mort en 1570, Philippe acheta la plus grande partie de sa collection. Le roi accrocha de même au Pardo les portraits officiels de sa famille exécutés pour lui par Antonis Mor et son disciple, le portugais Alonso Sanchez Coelho. Malheureusement, la collection du Pardo fut détruite au cours d'un incendie désastreux en 1604. Cependant, les toiles qui correspondaient le plus aux goûts personnels de Philippe échappèrent au brasier: il les avait fait transférer à l'Escurial.

24

Aux Pays-Bas, Philippe confisqua plusieurs œuvres d'art aux «rebelles». Il acquit également une fort bonne collection espagnole, celle de son secrétaire, le fameux António Pérez.

Grand voyageur, pourvu d'une double éducation flamande et italienne, celui-ci avait des goûts raffinés, des goûts de luxe. A son zénith, il menait grand train, et son musée personnel comprenait, bien sûr, plusieurs Titien. Or, en 1579, Pérez tomba en disgrâce, après avoir essayé de soumettre le roi à un chantage, à la suite de quelque meurtre qu'ils avaient ourdi ensemble. Philippe fit de son mieux pour anéantir Pérez – lequel, toutefois, plein de ressources, parvint à défier et à se soustraire à la puissance non seulement du roi, mais, lorsque ce dernier y fit appel, à celle de la Sainte Inquisition. Affaibli par la torture, il se sauva de la prison royale de Madrid; condamné à mort, il échappa des griffes de l'Inquisition à Saragosse; enfin, au crépuscule de ses jours, exilé en Angleterre et en France, il créa et fit circuler la Noire Légende de Philippe, à laquelle on ajoute foi depuis des siècles. Pour toute revanche de cette terrible humiliation, le roi n'eut comme recours que la confiscation des biens de son secrétaire et, plus particulièrement, de ses tableaux – ajout peu négligeable à sa propre collection.

Quels étaient donc les goûts de Philippe en matière de vieux maîtres? La réponse à cette question nous montre encore combien il était bourguignon. La peinture du XVe siècle italien n'avait pour lui aucun attrait: le Quattrocento n'est absolument pas représenté dans sa collection. Il était, à l'opposé, très gourmand d'art hollandais, primitif comme tardif.

En 1549, lors de sa première visite aux Pays-Bas, il acheta toutes les toiles de Jan Scoreel qu'il put trouver. Il goûtait avec délices les œuvres mystérieuses et dérangeantes de Joachim Patinir. Plus que tout, ce collectionneur qui, en public, exigeait de l'austérité, de la gravité, de l'ordre, de la solennité en toute chose, aimait en privé les fantastiques élucubrations du plus bizarre, du plus provocant des peintres hollandais, Jérôme Bosch.

25

26

Philippe eut très tôt l'occasion de se familiariser avec la production de Bosch, puisque ses aïeux avaient été parmi les protecteurs du peintre et prisaient fort ses tableaux. Marguerite d'Autriche, en particulier, les collectionnait. De même le courtisan Diego de Guevara qui, manifestement, influença le roi dans ses goûts; parmi les tableaux que Philippe acheta à ses héritiers se trouvaient six toiles de Bosch, dont le fameux *Chariot de foin.* Il se rendit également dans la ville où le maître était né, Hertogenbosch, et où étaient restées nombre de ses œuvres – là encore il acheta tout ce qu'il put. Et il fit confisquer d'autres œuvres de sa main. L'une, par exemple, vint du palais de Guillaume d'Orange à Bruxelles, tandis que le duc d'Albe s'emparait d'une autre dans le manoir voisin de Jan de Casembroot – autre «rebelle» – et l'envoyait à son souverain. Philippe, enfin, se procura certaines œuvres en Espagne même: ainsi *le Jardin des Délices terrestres*, acheté au prieur de l'Ordre de Saint Jean. Celui-ci étant fils illégitime du duc d'Albe, peut-être s'agissait-il là aussi d'un butin rapporté des Pays-Bas. Bref, Philippe ne laissait jamais une occasion d'ajouter un Jérôme Bosch à sa collection : en 1574 il en envoya neuf à l'Escurial, or il en possédait douze à Madrid et douze autres au Pardo ; et il ne s'arrêta pas là. Un nouveau groupe de peintures gravit la colline en 1593, cinq ans avant sa mort. Quantité de ses œuvres devaient disparaître plus tard, victimes d'incendies, de la négligence ou de cette catastrophe que fut pour l'art espagnol l'invasion de la péninsule par Napoléon. Il n'en reste pas moins que le Pardo se targue aujourd'hui encore – puisque le peintre hollandais n'était pas en faveur à l'époque de la formation des grands musées – de la plus belle collection qui soit des œuvres de Bosch : circonstance « due en grande partie, a écrit Max Friedländer, au goût de Philippe II » – lequel avait réuni une majorité de ses œuvres à l'Escurial. Elles y ornaient ses appartements privés, de façon à ce qu'il pût méditer sur leur sens, assis à la table dont le plateau peint figurait l'œil omniscient de Dieu qui découvrait tour à tour chacun des sept péchés capitaux. La fascination que l'œuvre de Bosch exerçait sur Philippe transparaît jusque dans ses lettres à ses filles. Dans l'une, envoyée en 1582 de Lisbonne où il était allé se faire couronner roi du Portugal, il regrette que ses filles ne puissent observer à ses côtés une procession dans sa paroisse. Elle leur aurait plu, croit-il, « bien qu'il y eût là certains diables qui auraient pu vous effrayer, comme on en voit dans les tableaux de Jérôme Bosch[13] ».

Qu'était-ce donc que Philippe aimait dans ces derniers ? Pourquoi désirait-il contempler, dans ses appartements mêmes, ces toiles bizarres emplies de l'étrange symbolisme de monstrueuses créatures émergeant de coquilles d'œuf, formes incomplètes, fantastiques, surprenante machinerie presque animale, animaux mécaniques, diables rôtissant allègrement des corps nus sur des flammes fuligineuses et cuivrées ? Voilà qui nous étonne chez un être par ailleurs fort prompt à recommander austérité romaine, géométrique symétrie, *gravedad* et *decoro.* Trouvait-il là matière à élévation spirituelle? De telles scènes satisfaisaient-elles son obsessionnelle passion du détail? Ou existe-t-il une explication psychologique: son amour de l'ordre et de l'étiquette dérivait-il en réalité d'un chaos intime que tout cet ordre visait à réprimer mais auxquelles ces élucubrations (bénites?) étaient destinées à servir d'échappatoire? Je n'aurai pas la présomption de répondre à ces interrogations et me bornerai à citer une remarque du bibliothécaire de Philippe à l'Escurial, le moine jéronymite José de Sigüenza qui, mieux que quiconque, sut décrypter la pensée de son maître. D'aucuns, dit Sigüenza, commettent l'erreur de croire que Bosch était un hérétique – quelle absurdité: si tel était le cas, le roi n'aurait jamais toléré la présence de ses tableaux près de lui. Nenni: Bosch est un dévot, un orthodoxe satiriste, pourfendeur de nos péchés et de nos aberrations; le distingue des autres peintres l'audace qu'il a, au lieu de s'arrêter à l'apparence des êtres, «de les montrer tels qu'ils sont en réalité [14]».

C'est sur cette énigmatique remarque à propos du plus énigmatique des rois qu'il nous faudra le quitter; il est tentant, néanmoins, avant de l'effacer de nos mémoires, de nous attarder dans la bibliothèque de l'Escurial, sur l'ultime et somptueux portrait de Philippe en son vieil âge, attribué au peintre espagnol Juan Pantoja de la Cruz; *27* peut-être alors, nous remémorant le courage de ce stoïque personnage et son amour sincère de la beauté, serons-nous enclins à son égard à plus de générosité que n'en fit preuve Richard Ford, génial extraverti auquel j'emprunterai ma conclusion; car c'est toujours avec plaisir que je cite son merveilleux *Handbook for Travellers in Spain* même s'il m'arrive d'être en désaccord avec lui, comme il sied de l'être parfois. Le modèle de Pantoja, dit Ford, «regorge de personnalité, d'individualité; nous le voyons là en chair et en esprit, sorti de sa tanière, avec son visage de Méduse qui pétrifie: blême, l'air morose, il est marqué par l'humeur mélancolique de sa grand-mère [Jeanne la Folle]; observez ces grands yeux gris, glacés comme les gouttes d'une rosée matinale; notez la froideur cadavérique que même le crayon de Titien ne put réchauffer. On croirait que la tombe a rendu le défunt, que le pusillanime et soupçonneux bigot descend de son cadre dans sa bibliothèque».

Voilà, brossée avec brio, l'image de Philippe II que le XIXe siècle a accréditée, du moins dans les pays protestants, l'image propagée par l'exilé, le disgrâcié, António Pérez, avant que Gachard ne nous en donne une version plus humaine en publiant la correspondance du souverain espagnol, avant que Carl Justi n'élève celui-ci au-dessus de l'arène politique en publiant son essai novateur sur Philippe amateur d'art.

Rodolphe II à Prague

Nous avons vu Sa Majesté Très Catholique Philippe II s'opposer fermement à la Réforme sur le plan politique comme dans le domaine artistique, quoiqu'avec un succès limité. Quittons maintenant l'Espagne pour l'Autriche, la branche aînée pour la branche cadette de la maison des Habsbourg, soit les descendants de Charles Quint pour ceux de son jeune frère Ferdinand. Lors du grand conclave familial d'Augsbourg en 1550, Ferdinand avait en effet réussi à préserver pour ses héritiers la partie orientale originelle de l'héritage des Habsbourg: héritage sur la destinée duquel ils veilleraient encore bien après l'extinction de la branche aînée en Espagne, puisqu'ils étaient appelés à régner trois cent cinquante ans.

Cet empire oriental transmis par Ferdinand à ses héritiers s'étendait plus à l'est que ne l'avait fait celui de Charles Quint, puisqu'avant même son accession au trône Ferdinand y avait annexé deux royaumes destinés à jouer un grand rôle dans le Saint Empire romain, destinés même à le métamorphoser: je veux parler de la Bohème et de la Hongrie.

En 1526, lors de la désastreuse bataille de Mohács, avait été défait et occis le roi Louis II de Hongrie, dernier de sa dynastie; sa capitale, Budapest, avait été prise par les Turcs; les trésors royaux de Hongrie, dont l'incomparable bibliothèque du roi Matthias Corvin, modèle de la bibliothèque médicéenne de Florence, dispersés et réduits à néant. Après ce coup fatal, dans son veuvage, la reine de Hongrie, Marie, sœur de Charles Quint, retourna en Belgique pour ne jamais revoir son royaume. Durant trente années elle serait vice-reine des Pays-Bas, où il nous a déjà été donné de l'entrevoir. Comme ceux de son frère l'empereur, ses goûts étaient assurés et variés. Stirling Maxwell l'appelle la «duègne chasseresse», et cite un ambassadeur anglais qui la rencontra lors d'une chasse tandis qu'«elle entrait au galop dans Tongres après trois jours passés sur sa selle». Nous nous intéressons davantage à la protectrice des arts, à la femme qui fit construire d'exquis palais en Belgique, collectionnait les tableaux flamands et fut le mécène de Titien, Antonis Mor et Jacques Dubroeucq. Cependant, la couronne élective de Hongrie avait été attribuée par les Etats hongrois à son frère Ferdinand, plus proche héritier de son défunt époux; cette couronne, néanmoins, ne représentait plus grand-chose, puisque la plus grande part de la Hongrie était aux mains des Turcs. Il faudrait reconquérir le royaume, et cela ne se ferait ni de son vivant ni même en ce siècle-là.

Plus que la Hongrie importait la Bohème, dont la couronne avait également été portée par le roi défait, Louis – couronne tout autant élective et tout autant transférée au roi Ferdinand. C'est ainsi que lorsqu'il succéda à son frère comme empereur à la tête de tous les princes allemands, il avait déjà régné trente années sur des royaumes non germaniques. En théorie, les trois couronnes, celle du Saint Empire, et celles de Bohème et de Hongrie, étaient électives; en théorie seulement, puisqu'en pratique elles devaient rester désormais en permanence aux mains des Habsbourg. A partir de l'abdication de Charles Quint se construisit donc, à l'ombre du médiéval Saint Empire romain germanique, une nouvelle monarchie danubienne qui, en fin de compte, remplacerait celui-ci et lui survivrait plus d'un siècle: alors que le Saint Empire serait aboli par Napoléon, la monarchie Habsbourg d'Autriche, de Bohème et de Hongrie devait subsister jusqu'en 1918.

La séparation des deux branches de la maison des Habsbourg et la ramification en Bohème et Hongrie de la branche orientale devaient avoir des conséquences immédiates. Conséquences personnelles tout d'abord. La séparation ne s'était pas faite sans heurts. Le fils et le petit-fils de Ferdinand n'oublieraient jamais que leurs cousins espagnols avaient essayé de les déshériter; la méfiance réciproque qui résulta de ce fait ne put s'estomper qu'à la mort de Philippe II – bénéficiaire présomptif de la manœuvre. En second lieu l'extension vers l'Europe centrale devait aiguiser les problèmes idéologiques et transformer la philosophie des Habsbourg autrichiens. La vision unitaire de Charles Quint ne pouvait plus être la leur. Après les années 1550 – effroyable décennie-pivot à laquelle nous ne cessons de revenir –, la vision du monde que l'on a à Vienne et à Prague n'est plus celle que l'on en a à Madrid.

A Madrid, dans une Espagne catholique, détenteur d'un pouvoir quasi absolu, à la tête de l'armée la plus importante d'Europe et bénéficiant des ressources croissantes que fournissaient les îles, Philippe II pouvait se permettre de se poser en défenseur de la Foi. En Autriche, Ferdinand n'avait à sa disposition ni la même fortune, ni le même pouvoir, ni, peut-être, la même volonté. Lui faisait défaut l'obsession catholique, la *rigor filipino* de son neveu. Les problèmes auxquels il devait faire face exigeaient aussi plus de flexibilité. A l'extérieur, le danger majeur venait des Turcs qui, sans trêve, faisaient remonter à leurs armées le Danube presque jusqu'à Vienne. Pour les repousser, Ferdinand devait faire appel aux princes allemands ou aux provinces de Bohème et de Hongrie. Les princes allemands, toutefois, n'étaient pas des alliés sûrs. Ils étaient jaloux de leur indépendance, ne se sentaient pas directement menacés par les Turcs et refusaient de voter les dépenses nécessaires à la défense, ou à la reconquête du royaume de Hongrie, qui ne faisait pas partie de l'empire. En outre, nombre d'entre eux étaient désormais protestants. La Bohème, à sa manière, l'avait été avant Luther. La Hongrie l'était à moitié. Quel que fût leur penchant personnel, les successeurs de Charles Quint durent toujours se rappeler que leur couronne était élective et non héréditaire. Confrontés à des électeurs protestants en Allemagne, en Hongrie et en Bohème, ils ne pouvaient se présenter, à l'instar de leurs cousins espagnols, comme les inflexibles défenseurs de la foi catholique. Lorsqu'ils l'osèrent au siècle suivant, ils plongèrent l'Allemagne dans trente inexorables années de guerre civile.

Par bonheur, il n'était pas encore temps, à l'époque qui nous intéresse, de prendre parti. Chance extraordinaire, l'Allemagne avait échappé aux terribles répressions qui avaient polarisé les passions dans le reste de l'Europe occidentale durant les années 1550. Défait par les princes protestants, Charles Quint avait accepté avant son abdication un programme de coexistence pacifique en Allemagne. Si l'empereur l'avait ressenti comme un grand revers, cet accord fut, tant qu'il dura, une véritable bénédiction pour le pays: lequel, à l'abri, sinon des divisions idéologiques, du moins d'une guerre de religion, connut soixante-dix années de prospérité.

Durant cette période, la cour impériale ne put guère adopter une attitude religieuse unitaire. Il fallut créer un mythe dynastique, voire individuel. Déjà au XVIe siècle, religieux s'il en fût – comme plus tard au XIXe siècle nationaliste –, le souverain d'un empire multi-national aux confessions diverses avait dû en appeler à une loyauté purement personnelle; ses sujets, à qui il était impossible d'être des patriotes de la foi comme de la nation, devaient l'être du «moi» impérial. Du point de vue idéologique, les seules idées susceptibles de ne pas les diviser étaient celles qui évitaient les formulations étroitement religieuses, qui se plaçaient à l'extérieur, soit au-dessus, soit au-dessous de l'orthodoxie. Ces idées se trouvaient dans l'humanisme italien ou allemand, dans les sciences, dans l'étude de la nature, dans le platonisme. Ces idées, communes en Europe, avaient précédé la Réforme. Ailleurs, lors de guerres de religion, elles avaient été reprises, puis, soit étouffées, soit déformées par les idéologies. En Allemagne, au cours de la durable accalmie de la paix d'Augsbourg, elles circulaient encore librement.

Tout cela était connu de Ferdinand Ier, dont le long apprentissage s'était passé à protéger les terres autrichiennes héréditaires de sa famille et la fragile frontière orientale de l'empire. C'est lui qui, en 1530, avait élu résidence à Vienne, entreprenant ainsi la conversion de la ville en cité impériale. Dans ce site par trop exposé, toujours à la merci d'une attaque des Turcs, il ne construisit pas de palais; il fit reconstruire la citadelle, collectionna livres et pièces, fonda une grande bibliothèque, rassembla érudits, peintres, architectes et hommes de science dans le but d'encourager l'étude de la nature. Bon catholique comme son frère, il était également humaniste – humaniste de la génération de la pré-Réforme. D'après un ambassadeur vénitien, «c'était un esprit avide de connaissances, fort curieux de la nature, des pays étrangers, de la flore et de la faune[1]». Dans la *Kunstkammer* qu'il créa, il collectionnait tout particulièrement les pièces de l'empire romain. Tous les humanistes de la Renaissance vénéraient celui-ci, mais aucun n'éprouva à son égard une nostalgie plus exacerbée que les humanistes de la maison des Habsbourg: le Saint Empire romain, qu'ils gouvernaient, n'était-il pas en effet la continuation de l'empire romain païen – qui, incidemment, une fois christianisé, avait maintenu et soutenu fermement l'Eglise, qu'il avait établie lui-même?

L'ambiguïté de la position idéologique des Habsbourg de Vienne fut rendue plus apparente encore par le fils de Ferdinand, Maximilien II, qui succéda à son père en 1564. Humaniste, «homme universel» lui aussi, ami des érudits et des hommes de science, passionné d'Antiquité et de nature, il était botaniste, bibliophile et étudiait les langues étrangères, voire orientales. Quelle différence avec son cousin honni, Philippe II, qui refusait d'apprendre les langues étrangères, retranché derrière la double barrière des Pyrénées et des murs de l'Escurial! Les intérêts variés de Maximilien se reflétaient dans son intense activité de collectionneur. Dans sa quête de statues antiques et de tableaux modernes, il employait ses ambassadeurs et ceux d'autres souverains. Il envoya quérir en Italie peintres et architectes pour reconstruire les châteaux royaux de Bavière, dont il peupla les jardins de plantes exotiques; à Ebersdorf, il installa même une ménagerie de bêtes sauvages. Il essaya d'attirer le plus grand architecte italien de la Haute Renaissance, Andrea Palladio en personne. Comme son oncle Charles Quint, il aimait les horloges et la musique, la musique d'orgue tout spécialement. En 1567, lorsque le fanatique moine puritain devenu pape sous le nom de Pie V envisagea de bannir toute «musique figurative» de l'Eglise, Maximilien bondit sur l'occasion et faillit convaincre Palestrina de venir à sa cour[2]. C'eût été là un coup de maître, car, quoique renvoyé de Saint-Pierre parce que laïque, Palestrina, maître des chœurs de deux importantes églises romaines, Saint-Jean-de-Latran et Sainte-Marie-Majeure, demeurait la plus grande gloire de la musique romaine et catholique. Néanmoins, aux yeux de Rome l'empereur ne valait guère mieux qu'un Protestant: n'avait-il pas un prédicateur protestant à sa cour et n'était-il pas lié d'amitié avec nombre de ces hérétiques? Ces suspicions devaient être confirmées au moment de sa mort en 1576. Bien qu'on l'y suppliât de tous côtés – son épouse, sa sœur, le légat du pape et l'ambassadeur d'Espagne –, Maximilien refusa de se confesser et de recevoir la Communion. «Le misérable est mort, écrivit l'ambassadeur d'Espagne avec dédain, comme il a vécu» – en crypto-luthérien.

Il est un fait que l'orthodoxie religieuse ne semble pas avoir intéressé Maximilien II. Les beaux-arts retenaient bien plus son attention. L'un de ses peintres préférés était ce Milanais bizarre, «prince des illusions et le plus acrobatique des peintres» – comme on l'a dénommé –, Giuseppe Arcimboldo. Il avait exercé en Italie du Nord, où l'empereur Ferdinand, en tant que roi de Bohème, l'avait employé. Ferdinand appréciait son œuvre et, à la fin de sa vie, requit sa présence à sa cour.

37

C'est là que Maximilien remarqua son talent particulier; il en fit son portraitiste attitré. Maximilien empereur, Arcimboldo régna sur la cour, grand favori, arbitre des élégances et organisateur de fêtes et concerts. Il excellait dans la peinture de grotesques, d'allégories et de figures symboliques, surtout dans ses fameuses «têtes composées», surprenants portraits ingénieusement construits à partir de formes animales, végétales ou minérales. La légende veut qu'un jour Maximilien lui ait demandé de portraiturer le médecin de la cour, dont le visage était tout grêlé par l'effet des maladies vénériennes: Arcimboldo parvint, grâce à un assemblage d'animaux et de poissons cuits, à une ressemblance évidente dans son tableau, qui obtint un franc succès. Après cela, il n'y eut plus moyen de l'arrêter: courtisans et employés de la cour furent tour à tour «composés», y compris le bibliothécaire, à l'aide de livres, et le cuisinier au moyen de poêles et de saucisses.

Un autre artiste auquel Maximilien étendit sa protection, plus «sérieux» qu'Arcimboldo – qui prendrait Arcimboldo au sérieux? –, fut le célèbre sculpteur maniériste Jean Bologne, dont l'élégante virtuosité de mouvement a été répétée en milliers d'exemplaires de par le monde. Natif de Belgique, Bologne fit son apprentissage à Bergen, près de Mons, dans l'atelier de Jacques Dubroeucq, architecte et sculpteur de Marie de Hongrie. Puis il fut attaché au mécène universel que fut le cardinal Granvelle, qui l'envoya à Rome. Il passa ensuite à Florence, où la grande-duchesse jeta son dévolu sur lui. La grande-duchesse était la fille de Maximilien, si bien que Jean Bologne fut happé par l'orbite impériale. Maximilien chercha par tous les moyens à le ravir à son beau-fils, mais le grand-duc ne l'entendait pas ainsi. A contrecœur il augmenta les émoluments du sculpteur et lui interdit de quitter Florence. Jean Bologne envoya cependant à l'empereur des copies de ses œuvres, qui ornèrent donc les fontaines et les jets d'eaux d'Autriche et de Bohème, comme elles agrémentaient déjà ceux de la Toscane.

Il est possible que le célèbre *Mercure* au pied léger posé sur le souffle d'un dieu des vents – conservé aujourd'hui au Bargello – ait été, à l'origine, conçu pour l'empereur. Mais l'artiste prisonnier n'aurait pu donner suite à son offre : il devait s'estimer heureux si on l'autorisait à exécuter quelques œuvres pour des amis et alliés de son protecteur – les ducs de Mantoue et de Bavière, les archiducs autrichiens, le cardinal Granvelle ; jamais on ne l'autorisa à partir à l'étranger. Parfois il se plaignait amèrement de son sort, lui qu'un grand-duc parcimonieux retenait à Florence, alors que, disait-il, ses élèves faisaient fortune ailleurs « et je crois qu'ils se gaussent de moi, qui ai préféré servir votre Seigneurie, quand on m'a proposé de généreux contrats en Espagne, et en Allemagne de la part de l'Empereur ».

A la fin de sa vie, Maximilien projeta la construction d'un nouveau *Lustschloss* – ou palais complété de jardins aménagés –, le *Fasangarten* près de Vienne ; et puisqu'il ne pouvait obtenir Jean Bologne lui-même, il lui demanda s'il pourrait lui conseiller un architecte et un peintre capables de mener à bien une telle entreprise.

Jean Bologne envoya deux jeunes gens qui travaillaient alors au foyer du mécénat italien de l'époque, le palais Farnèse à Rome. L'un, l'architecte, élève et compatriote de Bologne, était Hans Mont, de Gand ; l'autre, le peintre, était Bartholomäus Spranger, d'Anvers. Spranger était *34* un dessinateur hors pair, inégalé – comme Jean Bologne dans son domaine – dans la représentation de la vivacité et de la grâce du mouvement. Ayant exercé à Parme, il était tombé sous le charme du Corrège et du Parmesan ; puis il était allé à Rome où il avait été appelé à travailler au palais Farnèse grâce à l'intervention du miniaturiste Clovio que nous avons déjà rencontré en tant qu'ami et un temps mécène du Greco. Clovio avait acheté un tableau représentant un sabbat de sorcières, que Spranger avait réalisé à l'origine pour un commanditaire auquel il n'avait pas plu.

Rappelons-nous, incidemment, que c'est exactement à cette époque, aux alentours de 1575, que le Greco quitta le palais Farnèse pour l'Espagne. Que serait-il arrivé si on l'avait dirigé, non pas vers Madrid, mais comme c'eût très bien pu être le cas, vers l'autre cour Habsbourg, en Europe centrale, et s'il avait passé le reste de ses jours, non pas dans sa fière réclusion de Tolède la catholique, mais bénéficiant de la faveur impériale dans les cours à demi protestantes de Vienne ou de Prague? Ses longues silhouettes filiformes et torturées auraient-elles été plus acceptables dans ces cercles maniéristes, ou leur exaltation, leurs poses extatiques auraient-elles fait là-bas aussi de leur auteur un exclu? Il ne nous resterait alors nul *Enterrement du Comte d'Orgaz*, nulle vue panoramique de Tolède durant l'orage, peut-être même nul autel miraculeux imprégné d'une indicible ferveur religieuse. Comment la bénédiction impériale aurait-elle pu remplacer une telle perte? Peut-être devons-nous savoir gré au destin d'avoir envoyé le Greco en Espagne et de l'y avoir confronté à la désapprobation de la cour de Philippe II.

Quoi qu'il en soit, Spranger et Mont, eux, allèrent à Vienne. Mais ils y arrivèrent à un mauvais moment. Ils n'avaient pas plus tôt atteint les murs de la ville que Maximilien mourait, et ils se retrouvèrent perdus, sans protecteur, du moins jusqu'à ce que fût connu le bon plaisir

28

du nouvel empereur. Par bonheur pour eux, celui-ci, Rodolphe II, fils de Maximilien, devait poursuivre le mécénat de son père et devenir le plus grand collectionneur de toute la maison des Habsbourg; ce serait également un souverain excentrique dont l'énigmatique personnalité tentera romanciers et dramaturges, et confondra les historiens depuis son époque jusqu'à la nôtre.

Comme plusieurs autres esthètes couronnés, de Charles Ier d'Angleterre à Louis II de Bavière, Rodolphe II fut un mauvais politique. Son long règne – trente-six années, de 1576 à 1612 – s'acheva, comme le leur, dans la disgrâce et la déposition; et les historiens, qui jugent souvent les événements du passé à la lumière des conséquences qu'ils ont eues, ont fait preuve à son endroit d'une grande sévérité. Son règne ne se résume-t-il pas à une longue période de paralysie des idées ou, du moins, à une incubation durant laquelle le temps fut artificiellement suspendu et perdu, tandis que couvaient nuitamment les prédestinés événements du siècle à venir? Que fit Rodolphe pour préparer ces derniers? Pourquoi ne les vit-il pas venir, ne prit-il parti, n'accéléra-t-il pas leur marche? Ces questions rétrospectives, toutefois, ne prennent guère en compte ce qu'est fondamentalement l'histoire. Comme l'a écrit Leopold von Ranke, chaque époque n'est «redevable qu'à Dieu». On n'accuse pas Elizabeth Ière de n'avoir pas prévu ni prévenu la Guerre Civile en Angleterre. L'époque rudolphine, comme l'élizabéthaine, s'appartient en propre; elle a sa propre philosophie, est régie par des ressorts particuliers; or, cette philosophie – ses motivations, sinon sa forme – nous est peut-être plus intelligible, à nous qui vivons dans un monde de tensions idéologiques et d'aspirations œcuméniques, qu'à nos prédécesseurs qui, à l'affût de signes de «progrès», identifiaient celui-ci à des partis politiques ou à des mouvements d'idées bien définis. Des érudits de notre temps, ayant reconnu la légitimité de l'approche de la Basse Renaissance, ont donc essayé de reconstruire objectivement sa vision du monde. L'un d'eux, M. Robert Evans, s'est spécialement intéressé à l'univers ésotérique et mystérieux de Rodolphe II. Je ne m'aventurerais pas dans un domaine si ardu sans l'appui que me procurent ses recherches.

Rodolphe était-il catholique ou protestant? Une question aussi directe lui aurait semblé incongrue; comme son père, il appartenait en effet au monde humaniste prétridentin (d'avant le Concile de Trente) qui n'avait pas encore établi cette distinction, et que la paix d'Augsbourg avait artificiellement prolongé dans les contrées germaniques. Les Habsbourg catholiques d'Espagne furent d'abord satisfaits de son accession au trône: ils croyaient pouvoir être assurés de sa loyauté. N'avait-il pas été élevé en Espagne, durant huit cruciales années, dans la plus pure orthodoxie espagnole – puisqu'il n'était pas impossible à l'époque qu'il pût devenir l'héritier du trône d'Espagne? A son retour de Madrid à Vienne, ses sujets autrichiens l'avaient retrouvé entièrement hispanisé, dans son costume, ses manières, sa façon de s'exprimer, sa foi. Lors de l'enterrement de son père, il avait introduit la pompe espagnole que Charles Quint avait lui-même apportée de Bourgogne en Espagne. Peu après son accession, il avait fourni d'autres preuves de son zèle orthodoxe, usant de son autorité impériale pour endiguer l'avancée protestante en Rhénanie et de son pouvoir royal pour favoriser la Contre-Réforme en Autriche et en Bohème. Il s'entourait de conseillers acquis à l'Espagne et s'allia au parti catholique en Pologne. Voilà pourquoi certains historiens ont vu en lui l'agent de la reconquête catholique, et dans son échec à cet égard la conséquence d'une volonté défaillante, elle-même résultat d'une instabilité psychologique: ainsi, prétendent-ils, le flambeau de la Contre-Réforme qu'il avait sciemment relevé, il le laissa échapper entre ses mains débiles et fantasques[3].

Cependant, Rodolphe montra bientôt qu'il n'était ni entièrement espagnol, ni totalement catholique. Comme son père, il se méfiait de son oncle espagnol – peut-être même le haïssait-il –, et il contra la politique espagnole en Europe, surtout aux Pays-Bas, la guerre aux Pays-Bas ne pouvant manquer d'avoir des effets néfastes en Allemagne occidentale. Il n'approuvait pas plus l'intolérance espagnole ou romaine. Les réfugiés des Pays-Bas étaient accueillis à sa cour; nombre de ses artistes, hommes de science et amis, étaient protestants; le plus proche ami et confident de ses dernières années ne fut autre que le président du Conseil privé impérial, le prince protestant, érudit, protecteur lui aussi des arts et des sciences, des lettres, de l'alchimie et de la magie, Heinrich Julius, duc de Brunswick-Wolfenbüttel.

Les choix religieux de Rodolphe, comme ceux de Philippe II, se traduisirent dans le choix de sa résidence. A l'instar de Philippe, il inaugura son règne en changeant de capitale. Si son grand-père avait établi la sienne à Vienne, d'où son père n'avait pas cru bon de bouger, Rodolphe, comme Philippe encore, se mura dans un château qui était à la fois forteresse, palais et cathédrale, où, de plus en plus inaccessible, il s'enferma de plus en plus dans son univers privé et spirituel. Imitant toujours Philippe, il emplit son palais d'œuvres d'art de son choix qui reflétaient son monde intérieur. Néanmoins la capitale de Rodolphe n'était pas nouvelle comme Madrid et son palais n'était pas un édifice neuf à l'architecture résolument novatrice, expression d'une orthodoxie claire, rationnelle et systématique. Il préféra vivre dans un vieux palais, au cœur d'une vieille cité : centre de l'ancienne hétérodoxie, de l'unique hérésie médiévale qui eût triomphé de Rome.

29 La capitale de Rodolphe, ce fut Prague, vieille capitale de son royaume de Bohème. Au début du XVe siècle, Prague avait été un important centre culturel, poste avancé de l'humanisme européen. Mais ç'avait été aussi le haut-lieu de l'hérésie de Jan Hus, qui avait amené de féroces guerres civiles mais s'était à la fin imposé si fermement que le pape avait dû la reconnaître – si ce n'est qu'il montra son mécontentement en laissant vaquant l'archevêché de Prague pendant plus d'un siècle. Depuis ces guerres hussites, la Bohème était isolée du reste de l'Europe, aux confins de la chrétienté renaissante. En y installant sa cour, Rodolphe redonnait à Prague son ancienne position de centre culturel cosmopolite – centre qui demeurait tourné, cependant, vers son passé humaniste et hérétique. Le château où Rodolphe s'installa était la vieille citadelle, le Hradschin, qui surplombe la ville populeuse alentour : on est très loin ici de l'Escurial, froid et solitaire dans la Sierra silencieuse. Par son intemporalité, ses multiples et fréquentes accrétions architecturales, l'édifice illustre bien la continuité de la tradition dans laquelle son nouvel habitant se plaçait – à l'opposé de la rupture brutale avec le passé qu'attestait la répudiation stylistique voulue par Philippe II. Voilà comment Rodolphe proclama son opposition à la bipolarisation qui avait suivi en Europe occidentale les événements du milieu du siècle et qui se trouvait accentuée désormais par les guerres civiles en France et aux Pays-Bas. Au cœur de la vénérable et hérétique cité de Prague, dans son ancienne citadelle toute pétrie d'histoire, il s'identifiait à une tradition en perpétuel mouvement, se dissociant avec une égale détermination de deux innovations radicales qui s'y opposaient : le calvinisme militant qui infiltrait l'empire depuis l'ouest, depuis Genève et Heidelberg, et la Contre-Réforme tout aussi militante importée depuis le sud, d'Italie, par les jésuites, et imposée au bas Rhin, depuis les Pays-Bas, par les invincibles *tercios* espagnols.

Si, oubliant l'opposition restrictive et plus récente entre doctrine politique et doctrine religieuse, à l'instar de M. Evans, nous essayons de considérer l'univers intellectuel de Rodolphe comme un tout, mu par sa logique propre dans un contexte qui lui est particulier, il me semble que nous comprendrons mieux le sens, l'originalité et le but de son mécénat et que nous en aurons une image plus véridique que ceux qui, ignorant ce contexte et analysant ses manies de collectionneur soit de l'extérieur, soit du point de vue limité de l'histoire de l'art, ou de la critique d'art, n'ont vu en lui qu'un excentrique ou un esthète acquis à l'art pour l'art – le premier collectionneur à « se libérer totalement de tout critère non artistique[4] ».

A quoi ressemblait donc l'univers de Rodolphe II ? Il n'était ni catholique ni protestant. En fait, il n'était pas religieux du tout. En son époque de querelles partisanes, d'antagonismes confessionnels, la cour de Rodolphe se signale, comme celle d'Elizabeth Ière, par une indifférence positive, quasi agressive, pour la religion. Elle nous révèle un humanisme séculaire issu de la grande période de la Renaissance, perpétué à la fin du XVIe siècle, sans cassure, amplifié même; plus universel que jamais, moins étriqué, plus profond que l'humanisme classique du XVe siècle, limité par son adoration aveugle des formes antiques, cet humanisme était, justement parce que moins étriqué et plus profond, et aussi en raison des menaces extérieures, nuancé de pessimisme, rongé par le doute philosophique. Par-dessus tout, c'était un univers magique mu par la magie «naturelle» néo-platonicienne, dont les philosophes, portant leur regard au-delà des innombrables phénomènes de la nature, découvraient un impressionnant système d'une harmonie ordonnée par Dieu, accessible par la recherche, intelligible par la raison, praticable par l'adepte, le mage.

Ce monde magique reniait la cosmologie conventionnelle de la chrétienté médiévale et transcendait les oppositions partisanes entre catholicisme orthodoxe et protestantisme orthodoxe, lesquels étaient tous deux retournés à ladite cosmologie. En profondeur, il était œcuménique, tolérant, contemplatif, scientifique; en surface, il se ramifiait en élucubrations alchimiques, calculs astrologiques et numérologie pythagoricienne.

Tous ces intérêts, on les retrouvait à la cour et dans le mécénat de Rodolphe II, comme on les trouvait déjà chez son père. On les retrouvait également dans d'autres cours allemandes qui, pour la plupart, étaient des cours protestantes: car si de telles vues étaient acceptées et exprimées par des catholiques – Francesco Patrizzi, philosophe platonicien dont le Greco lut les ouvrages, Tommaso Campanella, auteur d'une *Apologia pro Galileo*, ou Giordano Bruno –, ces catholiques étaient généralement, en fin de compte, rejetés par leur Eglise: Patrizzi fut excommunié, Campanella emprisonné, Bruno mené au bûcher. Ces idées, donc, trouvaient un terrain d'élection dans les cours protestantes les plus tolérantes, sous la houlette de princes savants et excentriques – dans le Palatinat, le Wurtemberg, le Brunswick-Wolfenbüttel, dans la Hesse.

Néanmoins, le point de mire de toutes ces cours protestantes était la cour impériale de Rodolphe II, catholique officiellement, mais en fait ambiguë, œcuménique, tolérante. D'où l'afflux vers elle, depuis tous les coins de l'Europe, de naturalistes, d'astronomes, d'artistes, d'érudits, d'aventuriers, de charlatans fuyant les persécutions catholiques aux Pays-Bas, en Italie ou en Styrie, où le neveu de Rodolphe, Ferdinand, n'autorisait pas les mêmes débordements que son oncle; d'autres venaient de contrées protestantes, espérant s'attirer la protection de l'empereur. C'est ainsi que les plus célèbres astronomes de l'époque, *33* le Danois Tycho Brahé et l'Allemand Johannes Kepler, les «mages» – mathématiciens et philosophes – les plus connus, l'Anglais John Dee et l'Italien Giordano Bruno, les alchimistes les plus fameux, le Polonais Michael Sendivogius et le Saxon Oswald Croll, les botanistes les plus renommés, le Belge Charles de l'Ecluse, et beaucoup d'autres se retrouvèrent, à un moment ou à un autre, dans la Prague impériale, où ils connurent, sous Rodolphe, un âge d'or fait de tolérance et de travaux ininterrompus poursuivis grâce à sa protection.

Catholiques et protestants étaient unis dans la même admiration pour cette tolérance, qui assurait Rodolphe de leur éternelle reconnaissance. «Il n'a jamais porté atteinte au corps, à l'âme ou à l'esprit de ses sujets par désir de vengeance: il n'a qu'une parole», écrivait l'un de ses sujets luthériens; et un catholique sectaire, l'un de ceux qui, en 1618, après la mort de Rodolphe, seraient défénestrés – jetés par les fenêtres du Hradschin par les protestants lorsqu'ils se révoltèrent contre les Habsbourg –, devait écrire: «tant qu'il régna, les habitants de ce royaume ne furent jamais empêchés dans leurs différentes déviations religieuses; chacun pensait et croyait ce que bon lui semblait». Même les juifs, victimes de tant de persécutions en Allemagne à l'époque, n'étaient pas inquiétés en Bohême, car la Kabbale, intégrée dans le grand *omnium gatherum* du platonisme hermétique, était une composante

19 Titien, *Allégorie de la Bataille de Lépante*, exécutée après la victoire de Philippe II contre les Turcs en 1571.

20 Titien, *Danaë*, l'une des huit scènes ovidiennes de la série «la Poésie», commandée par Philippe II pour son palais madrilène.

21 Titien, la version du *Vénus et le Joueur d'orgue* dans laquelle celui-ci est censé avoir les traits du jeune Philippe.

22 *(Ci-contre, en haut)* Le Greco, *Saint Maurice*, 1582.
23 *(Ci-contre, en bas)* Juan Fernández de Navarrete, el Mudo (vers 1526-1579), *le Baptême du Christ.*
24 *(Ci-dessus)* Antonis Mor (1519-vers 1576), portrait de Don Carlos, fils de Philippe II.

25 Joachim Patinir (vers 1485-1524), *Saint Jérôme*, détail.

26 Jérôme Bosch (vers 1450-1516), *les Sept Péchés capitaux*, *l'Envie* (Invidia), détail.

27 Juan Pantoja de la Cruz (vers 1551-1608; attribué à),
Philippe II.

RVDOLPH. II
ROM. IMP. AR
CHID. AVSTR.
NAT. VIENAE
MENSE IVL.
18. ANTE H.
POST M.

VVENCESI
MALLER
S. C. M.
SCVLPT.
F.
1606

28 *(Page précédente)* Wenzel Maller, portrait de Rodolphe II, relief en cire, 1606.

29 *(Ci-dessus)* Aegidius Sadeler (1570-1629), vue de Prague à l'époque de Rodolphe II, gravure.

30 Couronne impériale de Rodolphe II, Prague, 1602.

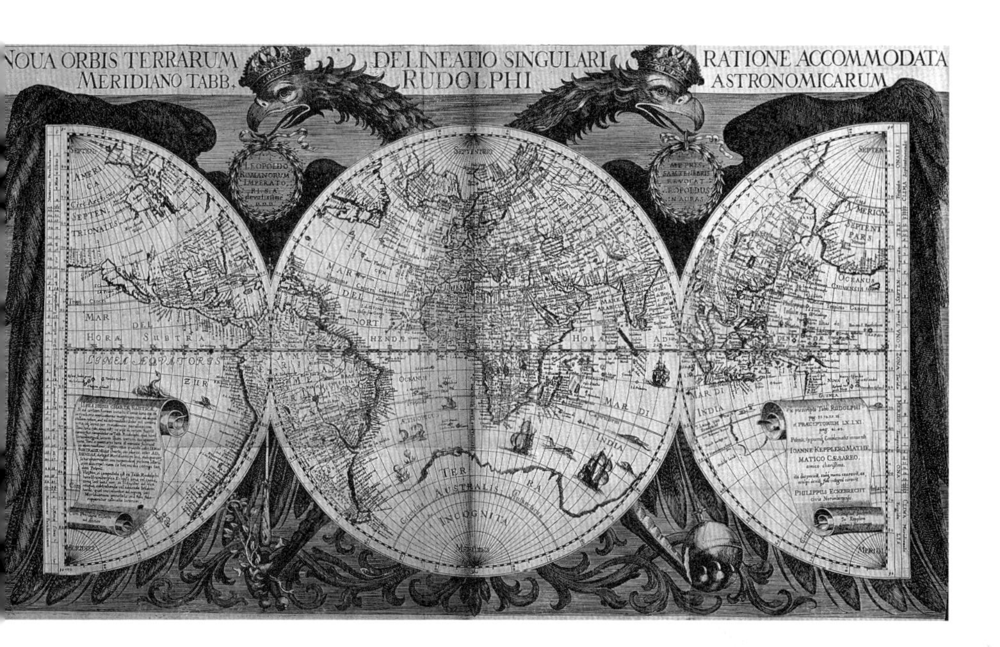

31 Philip Eckebrecht de Nuremberg, d'après Kepler, mappemonde «Nova Orbis Terrarum Delineatio», 1630.

32 Albrecht Dürer, *la Fête des guirlandes de roses*, 1506. Peinte pour l'église allemande de Saint-Barthélemy à Venise, la toile fut acquise par Rodolphe II en 1606.

33 Johannes Kepler, *Tabulae Rudolphi Astronomicae*, page de titre, Ulm, 1627. Kepler était mathématicien impérial.

34 Bartholomaüs Spranger (1546-1611), *Pallas protégeant les Arts et les Sciences.*

de la magie de la Renaissance. La plus ancienne synagogue d'Europe se trouvait dans la cité de la tolérance, Prague, et Rodolphe (nous dit-on) aimait à converser secrètement durant de longues heures avec le suprêmement savant Judah Loew, rabbin de Prague[5].

Si, depuis son palais de l'Escurial, Philippe II cherchait à imposer à l'Europe sa conception d'un inflexible catholicisme, Rodolphe II, dans son Hradschin, apparaît comme le défenseur de l'univers séculier et œcuménique de l'humanisme de la Renaissance, humanisme qui, résistant encore à la Réforme comme à la Contre-Réforme, s'est, avec le temps, imprégné de magie et teinté de mélancolie. Bien sûr, ces deux Habsbourg donnaient leur préférence à des courants artistiques différents, voire opposés. Alors que Philippe exigeait de ses artistes qu'ils réaffirment le credo catholique dont il était le champion incontesté, et qu'ils l'expriment, de façon anachronique peut-être, mais avec fermeté, à l'aide du vocabulaire héroïque de la grande Renaissance, Rodolphe, par nécessité autant que par choix, répudiait l'imagerie de l'orthodoxie et réclamait un autre titre pour lui-même. A travers son mécénat, il montrerait qu'il n'était pas le chef d'un parti de l'Eglise, mais le chef authentique et historique de la maison des Habsbourg, le champion de la fragile unité chrétienne, seul capable de la défendre contre l'ennemi extérieur, l'infidèle, le Turc, et, dans la sphère des idées, le champion de l'humanisme œcuménique renforcé, ou du moins, transformé par la conception platonicienne de la nature. Lorsqu'il arpentait seul les couloirs silencieux de son musée, ou se retrouvait dans son laboratoire privé, il s'imaginait à la fois en empereur romain, en incarnation du mythe Habsbourg, et en grand prêtre de la nouvelle révélation naturelle, interprète couronné de son emblématique, de son hiéroglyphique, de son secret symbolisme.

C'est dans cet esprit que l'empereur collectionnait vieux maîtres et peintres contemporains, ces derniers étant souvent hérités de son père, puisque l'âge rudolphin commence en fait avant Rodolphe et se poursuit quelque temps après sa mort, durant le règne de son frère Matthias, jusqu'à ce que le délicat compromis cède à la révolution et à la guerre. A l'instar de son père Maximilien, Rodolphe harassait de commandes Jean Bologne, qu'il aurait volontiers soustrait à Florence, mais qui, même à distance, domina la sculpture rudolphine. De même, il garda à son service Arcimboldo, dont les toiles étaient surréalistes avant la lettre. Arcimboldo, qui devint son favori, pouvait le joindre à toute heure et achetait en son nom tableaux, bijoux et curiosités. Ni Bartholomaüs Spranger ni Hans Mont, que la mort de Maximilien avait privés d'appui à Vienne, ne restèrent longtemps sans emploi. Eux aussi furent bientôt emportés dans l'orbite praguoise.

On connaît mal la statuaire de Mont, bien qu'on lui attribue une statue de Mars et de Vénus typiquement rudolphine par son élégante lascivité[6]. Il dut renoncer à la sculpture après un accident : il assistait à un tournoi de jeu de paume lorsqu'une balle perdue lui creva un œil. Il retourna alors en Italie et changea de profession. Spranger, cependant, devint le peintre de cour de Rodolphe. Il conçut des arcs de triomphe pour l'entrée de l'empereur à Vienne en 1577 ; il décora la Hofburg de Vienne comme le Hradschin de Prague ; dans son palais, l'empereur lui assigna une chambre près de la sienne afin de pouvoir le regarder à l'œuvre ; car les mécènes royaux du XVIe siècle prenaient part aux travaux de leurs protégés et Rodolphe (dit-on) peignait à l'occasion. Il trouva également une femme fortunée à Spranger, dont la maison devint un lieu de rencontre pour les artistes : le meilleur graveur de l'empire, Aegidius Sadeler, y résidait, de façon à pouvoir imprimer et publier ses œuvres aisément.

29

D'autre part, les chasseurs de talents découvraient de nouveaux artistes et les ramenaient à Prague. Le plus célèbre de ces nouveaux venus, le sculpteur hollandais Adriaan de Vries, digne élève de Jean Bologne, fut ramené d'Augsbourg par Spranger, avec lequel il collabora sur plusieurs projets. Spranger concevait des statues ou des reliefs, de Vries les réalisait. Hans von Aachen, de Cologne, attira l'attention de l'empereur en lui envoyant de Florence un portrait de l'inapprochable Jean Bologne. On le ravit à Augsbourg; à Prague il devint portraitiste de l'empereur et c'est lui que l'on envoya exécuter le portrait des différentes dames que, pour des raisons diplomatiques, son maître feignait de courtiser. A l'instar de Spranger, il collabora avec de Vries et devint de même agent impérial – l'un des meilleurs en fait, l'un de ceux à qui Rodolphe se fiait le plus dans sa quête toujours plus intense de trésors artistiques. L'empereur s'évertua à attirer Federigo Zuccaro à sa cour: en vérité, il eût été aussi heureux d'y accueillir le grand prêtre du maniérisme académique que Philippe II l'eût été de s'en débarrasser. Lignes serpentines, gestes évocateurs, fluidité, mobilité, *maniera* gracieuse et efféminée: voilà quelques traits distinctifs de la cour ambiguë de Prague, où, méprisant également les héroïsmes rivaux, l'opiniâtreté et le dogmatisme vociférant de la Réforme et de la Contre-Réforme, on penchait plus volontiers vers la grâce et la douceur de Parme – vers le Corrège et le Parmesan – que vers le panache haut en couleurs de Venise ou la force et la dignité de Rome.

Il y eut enfin les nouveaux peintres paysagistes que l'empereur arracha aux Pays-Bas. C'étaient pour la plupart des disciples de Bruegel le Vieux, dont Rodolphe admirait tout particulièrement les toiles. D'Anvers arriva dès 1591 Georg Hoefnagel, illustrateur des villes d'Europe[7]. Venu vers la même époque de Malines, Pieter Stevens fut nommé peintre de cour en 1594: il excellait dans les paysages purs, relevés de constructions imaginaires, enchevêtrements de ruines, tours et obélisques. Jan Bruegel, «Bruegel de Velours», spécialiste des tableaux de fleurs, visita Prague en 1604 et y reçut des commandes de Rodolphe. Paul Van Vianen, orfèvre à l'origine, s'installa comme peintre paysagiste. Et n'oublions pas Roelandt de Savery, de Courtai, le plus fidèle imitateur de Bruegel le Vieux, qui parvint également à Prague en 1604 et deviendrait le premier spécialiste de paysages alpins. L'empereur naturaliste aimait les détails fourmillants et bizarres de ces miniaturistes de la nature. Il envoya Stevens et Savery en expédition, l'un en Bohème, l'autre au Tyrol, pour qu'ils dépeignissent la physionomie de son empire. Dans les tableaux qu'ils rapportèrent, il put admirer le pendant rural et sauvage des dessins urbains à la géométrie parfaite que produisait Hoefnagel.

Peintres et sculpteurs de cour, orfèvres, fondeurs de monnaies, verriers, graveurs et autres artisans formaient une sorte de cour parallèle et plus proche de l'empereur que la cour officielle: Rodolphe anoblit la majorité de ces hommes. Il conféra même un titre de noblesse à Jean Bologne, qui ne se rendit jamais à Prague. Il ennoblit aussi leur métier; en 1595, une «Lettre de Majesté» libéra la peinture des entraves des corporations et d'un artisanat fit un art. Par l'entremise de ses protégés, il était à la tête d'une véritable industrie artistique attachée à sa cour. Comme l'administration artistique de l'Escurial, cet atelier du Hradschin visait un but supérieur; but fort dissemblable, cependant, en ce qu'il n'était en rien religieux; il était même manifestement irreligieux. Ce but était double: il visait à la glorification de la maison de Habsbourg et à l'élucidation des mystères de la nature[8].

La plupart des pièces de la collection de Rodolphe, les anciennes comme les récentes, servaient à la propagande de la maison de Habsbourg. Son trésor était pour lui un monument dressé à la gloire de sa famille: il désirait non seulement le garder intact, mais aussi y intégrer les collections de ses parents, surtout celle, fort imposante, de son oncle l'archiduc Ferdinand du Tyrol, qui avait empli son fabuleux château d'Ambras de merveilles artistiques. Rodolphe vénérait particulièrement le souvenir de Maximilien Ier, son exemple, le fondateur du mythe de la dynastie. Il se fit donc faire une nouvelle couronne inspirée par l'*Ehrenpforte* que Dürer avait réalisée pour Maximilien. Il recherchait de même les œuvres de Dürer, partout où l'on pouvait en trouver, sans nul doute en raison des liens qui unissaient les deux hommes. Deuxième de ses héros, son grand-oncle Charles Quint était aussi son grand-père maternel. Rodolphe partageait certains de ses goûts pour les horloges, la mécanique, la musique – le même genre de musique : la complexe polyphonie, non pas l'austère plain-chant exigé par Philippe II. Un temps lui aussi envisagea d'abdiquer, mais pas de se retirer dans un monastère : monastères et églises ne l'intéressaient pas ; il n'en construisit aucun, à la différence des autres princes catholiques de l'époque ; sa religion, c'étaient l'art et la nature, et il aurait aimé se retirer dans le palais de conte de fées de son oncle à Ambras. Il aurait pu s'y délecter non de fastidieuses règles, mais des multiples beautés d'une *Kunstkammer* que seule la sienne surpassait. Il acheta le buste en bronze de Charles Quint exécuté par Leoni et demanda à Adriaan de Vries de faire un buste de lui-même qui en *35* serait le pendant ; bien sûr, il se procurait, sitôt qu'il en avait l'occasion, des toiles du grand peintre de Charles Quint, Titien.

Il fallait exercer une vigilance constante et agir vite lorsqu'on désirait collectionner des Dürer et des Titien : en effet, si l'on pouvait s'attacher les jeunes peintres ou leur passer commande, on ne pouvait acquérir les vieux maîtres qu'en les soustrayant aux murs des châteaux ou des églises. Peut-être Rodolphe fut-il le premier collectionneur de vieux maîtres à manœuvrer, à contraindre le marché. Ses agents étaient partout. Parfois il mettait ses ambassadeurs à contribution : tel son ambassadeur en Espagne, Franz Christoph Khevenhüller, qu'il utilisait régulièrement dans ce but. Usant de l'autorité impériale, il forçait les princes allemands à travailler pour lui : ainsi Heinrich Julius, duc de Brunswick-Wolfenbüttel, ou le comte Simon de Lippe. Les princes italiens étaient enrôlés de même : par exemple, le duc de Ferrare, dont le père, ayant été le mécène de Titien, lui avait laissé un considérable héritage artistique. L'empereur se reposait beaucoup sur ses peintres de cour, surtout Arcimboldo, Spranger, de Vries et von Aachen, mais aussi sur d'autres peintres, comme le Milanais Paolo Lomazzo, «il Brutto», dont la belle collection de peintures, de dessins et d'écrits de Léonard, son maître, fut transmise avec profit à Rodolphe [9]. Celui-ci requérait les services de son antiquaire royal, Jacopo Strada, polymathe distingué dont Titien avait fait le portrait et qui entretenait une relation spéciale avec l'empereur: car celui-ci était l'amant de sa fille. Il eut même recours une fois à un juif errant du nom de Seligman, à qui il avança de l'argent afin qu'il lui achetât des objets d'art à Venise. Ce fut une erreur: l'homme prit l'argent et disparut [10].

Grâce à cette armée d'agents et d'informateurs, Rodolphe était informé de la moindre occasion. Il savait où étaient accrochés les vieux maîtres les plus beaux, et quelle pression, quel événement parviendraient à les décrocher. Alors que d'autres princes ornaient les églises, lui n'hésitait pas à les dépouiller d'autels convoités. Même si des chefs-d'œuvre demeuraient dans les mains de rivaux jaloux, il prenait patience, attendait: tant que la mort pouvait frapper, il y avait de l'espoir.

La correspondance officielle de Rodolphe à ses ambassadeurs et aux princes allemands le montre toujours prêt à saisir sa chance. Lorsqu'un prince cherche une faveur, il envoie un agent qui choisira quelques babioles «grâce auxquelles vous pourrez nous être agréable»; ou alors, on dit au prince qu'il pourrait aisément retirer d'une certaine église dans ses Etats un autel particulièrement convoité. A leur corps défendant, les princes obtempéraient, envoyant ledit trésor, «sans compter sa valeur – écrivit l'un d'eux –, dans l'espoir d'entrer en crédit auprès de l'empereur». Se dirigent donc régulièrement vers le Hradschin tableaux, miroirs, bijoux, pièces de monnaie, sculptures, horloges, machines à mouvement perpétuel et manuscrits rares. Parfois, la chance est au rendez-vous. C'est ainsi qu'en 1602, l'empereur apprit que le comte Eberhard zu Solm, venu lui rendre hommage au nom de l'électeur de Cologne, était mort en chemin. Sans perdre de temps en lamentations, il écrivit sur-le-champ à l'électeur : on disait que le défunt avait eu en sa possession de fort intéressantes œuvres d'art et « inventions » alchimiques et mécaniques ; l'empereur les accepterait volontiers en gage de la fidélité de l'électeur, de même qu'il recevrait avec plaisir l'alchimiste français qui, employé jusqu'alors par le comte, pourrait continuer ses expériences dans le plus illustre et plus splendide laboratoire du Hradschin.

L'une des meilleures aubaines dont bénéficia Rodolphe se présenta à la mort du cardinal Granvelle. Ce dernier avait été le principal politique de l'empire, placé pendant cinquante ans au centre des affaires. L'expérience en avait fait un citoyen du monde, ses goûts l'avaient porté à la magnificence. Ami et mécène de Titien, de Leoni et de bien d'autres, il avait été le plus grand collectionneur de son temps. Il avait géré les richesses artistiques de Charles Quint et de Philippe II. A sa mort en 1586, sa collection échut à son neveu, François de Granvelle, comte de Chantecroy, qui partageait ses goûts en art. François de Granvelle n'était cependant pas de force à lutter avec l'empereur, qui commença bientôt à faire savoir combien l'intéressait la collection du cardinal. En 1597, les recherches impériales étaient achevées : on envoya une liste de trente-trois œuvres d'art qu'on souhaitait acquérir, pour lesquelles on établissait les prix ; ensuite, on envoya l'inévitable Hans von Aachen, peintre, et Mathis Krätzchen, joaillier, quérir le butin au palais Granvelle de Besançon. L'infortuné héritier protesta : le prix offert pour le tout ne suffisait pas pour six œuvres de cette qualité – fichtre ! pour le seul *Martyre des dix-mille*, de Dürer, il avait récemment refusé une offre du cardinal Farnèse, lequel avait proposé pour ce tableau la même somme que l'empereur pour la totalité. Il lui coûtait tout particulièrement de se séparer du Dürer et il envoya donc une copie à la place. Feinte vaine : Rodolphe n'aurait su s'en contenter. En fin de compte, Granvelle dut céder, préférant faire passer « le désir et le plaisir de Sa Majesté avant mon propre intérêt ». L'empereur récolta donc sa moisson : hormis le Dürer, il y avait le buste de Charles Quint par Leone Leoni et maintes autres pièces qui rappelaient son souvenir : un pan de la tapisserie dépeignant la conquête de Tunis, la *Vénus au Joueur d'orgue* de Titien, et une Vierge à l'Enfant, que « l'Empereur gardait auprès de son lit ». Sans compter une tapisserie de Jérôme Bosch et une copie, par Jean Bologne, de la statue équestre de Marc Aurèle, modèle de quantité de portraits équestres de la période [11].

9
21

En 1598 survint une autre mort prometteuse, celle de Philippe II. Dès que la nouvelle parvint à Prague, l'empereur écrivit à son ambassadeur à Madrid afin qu'il usât de tous les moyens possibles pour récupérer quelques-uns des plus beaux tableaux du roi défunt, surtout des Titien, des Bosch et des Parmesan ; il lui rappela par la même occasion que l'ancien secrétaire déchu du roi d'Espagne, António Pérez, jadis fort puissant, mais vivant désormais en exil à l'étranger, avait réuni une belle collection dont Philippe avait confisqué la plus grande partie lorsqu'il avait renvoyé son favori. Le moment était également venu de s'approprier plusieurs de ces œuvres-là, dont, en particulier, certains Corrège et Parmesan, que l'on savait avoir été ravis par le souverain... L'ambassadeur intervint, mais trop tard. Il avait été devancé par un ingénieux spéculateur, notre vieil ami Pompeo Leoni, lequel savait ce qu'il faisait : il acheta ce que l'empereur désirait le plus et le lui revendit aussitôt, avec profit, cela va sans dire [12].

Sur tous les fronts, Rodolphe utilisait les techniques propres au collectionneur nanti. Grâce à von Aachen il obtint de l'électeur de Saxe *l'Adoration des Mages* de Lucas Van Leyden. De ce dernier il convoitait tout particulièrement *le Jugement dernier*, qui se trouvait dans une église de

Leyde. Le prince Maurice, stathouder des Pays-Bas, était disposé à intervenir, mais les peintres hollandais se rebellèrent. Hendrik Goltzius et Karel Van Mander en appelèrent au conseil municipal de Leyde et la cité refusa de se séparer de la toile. Les artistes hollandais savaient fort bien tous les trésors que leur pays avait perdus. L'avidité des Habsbourg et la violence des protestants avaient capté ou détruit une trop grande part de leur héritage : ils défendaient donc âprement ceux qui leur restaient.

L'empereur eut plus de chance dans sa quête d'œuvres de Dürer. Là, rien ne semblait devoir l'arrêter[13]. Tous les rouages de la persuasion furent mis en branle, principalement envers les cités impériales d'Augsbourg et de Nuremberg – ville natale de l'artiste –, où était conservée une partie de sa production. Une autre cité impériale, Francfort-sur-le-Main, résista : pas même pour dix mille gulden elle n'accepta de dépouiller son église dominicaine de *l'Assomption.* Après la mort de Rodolphe, son neveu Maximilien, duc de Bavière, devait toutefois réussir là où son oncle avait échoué : il parvint à l'obtenir « au prix d'extraordinaires efforts et dépenses[14] ». L'empereur compensa cet échec, néanmoins. En 1606 il acquit *la Fête des guirlandes de roses*, une toile empreinte de symbolisme Habsbourg : l'achat était si précieux qu'il n'en voulut pas confier le transport à une voiture et, ayant ordonné qu'il fût soigneusement enveloppé dans des couvertures, le fit venir de Venise à dos d'hommes, lesquels se relayèrent à travers les Alpes, transportant leur fardeau droit et avec d'infinies précautions. Cela n'est pas sans évoquer le cortège qui accompagna *la Crucifixion* de Cellini jusqu'à l'Escurial. Cette fois, cependant, le tableau plut suffisamment pour se voir attribuer une place d'honneur dans la collection impériale.

32

Rodolphe se voyant comme l'héritier de Maximilien et de Charles Quint dans son rôle de mécène et dans l'image qu'il voulait projeter, il lui fallait les imiter aussi dans le domaine de l'action. Maximilien avait rêvé d'une croisade contre l'Islam et Charles Quint avait cru un temps avoir atteint un but semblable avec la prise de Tunis. Rodolphe était humilié parce que son oncle Philippe II pouvait se glorifier de la victoire de Lépante, alors que lui-même n'avait rien accompli. Or, en 1593 la paix avec les Turcs fut rompue. La longue guerre qui suivit ne fut ni spectaculaire ni décisive, mais elle débuta avec une victoire impériale à Sissegg et quand, treize ans plus tard, elle s'acheva, ce fut pour laisser l'avantage à l'empire: enfin l'empereur était reconnu comme un égal par le sultan à qui il ne devrait plus payer de tribu annuel en tant que roi de Hongrie. Rodolphe se plut à publier ces succès et à poser au défenseur du christianisme. De même que Charles Quint avait emmené Vermeyen à Tunis afin qu'il immortalisât ses victoires, de même Rodolphe mobilisa Spranger et de Vries: dans leurs toiles, leurs frises et leurs statues allégoriques, l'empereur faisait figure non seulement d'Auguste et d'Imperator, mais aussi – sans que cela fût très convaincant – de favori de Bellona, déesse de la guerre: il était le vainqueur des Turcs, le libérateur de la Hongrie, le médiateur de l'Europe. Une fois encore, de même que Charles Quint avait fait reproduire en tapisseries, par les tisserands de Bruxelles, les scènes de batailles de Vermeyen, de même Rodolphe voulut qu'on dépeignît ses «plus grandes victoires» dans de somptueuses tapisseries hollandaises – lesquelles furent ornées de motifs de sa propre invention [15].

Dans ses tableaux et reliefs, Rodolphe désirait également qu'on le vît, à travers une savante symbolique, comme un protecteur des muses, un adepte des sciences occultes, un observateur de la nature. Arcimboldo le représenta, amas de légumes, de fleurs et de fruits, sous les traits de Vertumne, le dieu romain des changeantes Saisons; Spranger et de Vries le montrèrent apportant à la Bohème les arts libéraux et les arts plastiques; quant à ses peintres de paysages, ils étaient spécialisés dans l'évocation d'une «nature animée». Les plantes et les animaux que peignait

Hoefnagel étaient de véritables hiéroglyphes de la nature et il offrit à l'empereur un panorama, en quatre volumes in-quarto, du royaume animal; à Roelandt de Savery, qui parsemait ses toiles bibliques et rurales de mammifères et d'oiseaux, on doit, enfin, la première représentation du dronte récemment découvert: sans doute s'est-il inspiré de celui qu'on voyait dans la ménagerie de Rodolphe [16]. Peut-être est-ce là le seul parallèle que l'on puisse établir entre Rodolphe et son oncle Philippe II. Tous deux aimaient la nature – et les détails. Philippe parraina la préparation d'une importante histoire naturelle de l'Espagne et du Nouveau Monde; il se plaisait à la contemplation des plantes et des animaux et était obsédé par le chant du rossignol. Il était connu pour sa passion des détails. Mais dans le domaine artistique, les détails appréciés par ces deux princes Habsbourg étaient quelque peu différents. Si Philippe aimait les étranges détails théologiques de Bosch, Rodolphe préférait les notations plus prosaïques de Bruegel le Vieux, dont il collectionnait tout particulièrement les œuvres: il en avait au moins dix – entre autres, le fameux *Dulle Griet, Scène de sorcellerie* et *le Pays de Cocagne.* A la différence du froid et chaste Philippe, il appréciait les maniéristes en raison du caractère suggestif de la sensualité de leur art. Caractéristique d'ailleurs oppressante, en fin de compte, de sa collection: ces œuvres mythologiques et allégoriques exécutées pour lui par Jean Bologne, Spranger et de Vries, toutes ces Sabines, ces Europes, ces Psychées, ces nymphes, voire ces Ganymèdes, enlevés par Mercure, par des faunes, par des satyres, par des dieux ou par des centaures, tous ces Silènes qui lorgnent, pincent ou caressent des dames aux fesses rebondies... en voyant tout cela on se dit que notre excentrique célibataire avait des intérêts bien précis. Il est clair, en tout cas, qu'il n'acceptait guère la pruderie de la Contre-Réforme.

Vers la fin de sa vie, la collection de Rodolphe II était connue dans toute l'Europe. Artistes et amateurs recherchaient le privilège de la visiter. «Aujourd'hui, écrivait le Hollandais Karel Van Mander, quiconque le désire, n'a qu'à se rendre à Prague, s'il le peut, chez le plus grand mécène du monde moderne, l'empereur Rodolphe II. Il pourra admirer dans la résidence impériale un nombre extraordinaire d'œuvres éminemment riches, curieuses, bizarres et inestimables.» Peut-être devrions-nous doter d'italiques les adjectifs «curieuses» et «bizarres», tant ils sont appropriés ici. Autre expression limitative à souligner: «s'il le peut». Tout le monde ne pouvait se rendre à Prague; plus rares encore ceux pour qui s'ouvraient les portes de la galerie jalousement gardée. Naturellement, à son passage, un peintre et écrivain d'art comme Karel Van Mander jouissait de ce privilège.

Toutefois, même si l'on pouvait pénétrer dans la galerie, avait-on pour autant accès au prince? Voilà qui est loin d'être certain. L'empereur, désormais, était entré dans la légende; légende instaurée par l'Ecossais John Barclay. Ce catholique réfugié à Prague avait décrit dans son *Satyricon*, roman à clef à la mode de Pétrone, qui bénéficia d'un grand succès à l'époque, une visite imaginaire à la cour d'Aquilius, roi de Thèbes – en qui les lecteurs n'eurent aucun mal à reconnaître Rodolphe, empereur d'Allemagne. Barclay prétend y avoir été introduit par Georges, landgrave de Leuchtenberg, Grand Intendant de Rodolphe. Aquilius, découvrit-il, menait une existence «volontairement solitaire» dans un palais silencieux; les courtisans patientaient vainement au-dehors tandis que lui s'enfermait mystérieusement avec ses peintres et ses hommes de science. Dans ses appartements il était entouré, non par des scènes de batailles et des statues martiales, mais par des figures féminines aguicheuses, pour ne pas dire impudiques, d'une beauté exagérée et d'une grâce peu naturelle – nous reconnaissons là la griffe maniériste –, modèles idéaux du genre de dames qui, seules, comblaient ses désirs. Sur sa table: deux globes, l'un terrestre, l'autre céleste, et des livres d'astronomie aux pages cornées, avec l'aide desquels il défiait la jalousie divine et perçait les plus noirs secrets de la nature, cherchant à exprimer l'âme des métaux, à distiller l'elixir de la vie. Dans son laboratoire, tout près, ses ouvriers chimistes s'affairaient avec chalumeaux, creusets et cornues sous la direction d'un personnage vêtu d'un ample vêtement immaculé qui pouvait voir son maître à toute heure, librement, quoique furtivement, lui apportant quelque précieux extrait. «Quel est cet homme, qui se voit honorer d'une telle familiarité? m'enquis-je; et mon guide de me répondre, "C'est l'homme le plus en faveur de tout le palais: un Juif" [17].»

Tel était le personnage de légende qu'était devenu Rodolphe à la fin de ses jours. Légende qui n'était d'ailleurs guère éloignée de la réalité. Car avec le temps, ses excentricités s'étaient accentuées. Il traversa en 1600 une grave crise de mélancolie, due, dit-on, à sa longue fréquentation de la nécromancie et de l'alchimie, à sa haine de l'Eglise et à sa conviction toujours grandissante d'être une âme damnée.

C'était l'époque, doit-on préciser, où l'Eglise catholique persécutait les philosophes hermétiques, les magiciens; l'année même où Giordano Bruno, qui avait bénéficié de l'appui de Rodolphe à Prague, brûla à Rome. Essayant désespérément de briser le parti espagnol à sa cour, l'empereur asséna des coups de tous côtés, insulta, révoqua, emprisonna ses ministres. Il reparla d'abdication et l'on dit qu'il fit une tentative de suicide.

Deux ans durant on le crut mort; bien sûr, il n'en était rien: il s'était seulement fait, une fois de plus, invisible; s'était caché dans les recoins de son palais, ne s'entretenant qu'avec des «subordonnés» – serviteurs et confidents –, «tous mages, alchimistes et cabalistes», se lamentait sa famille indignée: soit, les peintres et les naturalistes de cour. En leur compagnie il contemplait ses collections ou se livrait à d'étranges expériences, en quête de la pierre philosophale. Sa famille déclarait qu'il avait renoncé à Dieu et se préparait à adorer le Diable.

Il avait, à coup sûr, renoncé au pouvoir sur terre. En 1609, alors qu'il dessinait les cartons pour les tapisseries destinées à célébrer ses plus grandes victoires, et que Jacques Ier d'Angleterre, autre monarque érudit, dédiait «au plus grand prince de la chrétienté» sa défense de la monarchie laïque contre les ambitions du pape, l'empereur (selon un diplomate toscan au désespoir) était réduit à l'impuissance politique, après avoir tout sacrifié, par le zèle excessif qu'il avait apporté à son étude de l'art et de la nature. Il avait délaissé les affaires d'Etat pour les laboratoires des alchimistes et les ateliers des peintres et des horlogers. Il avait consacré le Hradschin et ses revenus à des quêtes qui l'avaient éloigné des humains et transformé en ermite. Laissant aller à vau-l'eau l'Eglise et l'empire, il s'était «enfermé dans son palais comme derrière les barreaux d'une prison». La rébellion éclata deux ans plus tard. Sa famille ulcérée eut recours aux armes; il fut déchu de son trône de Bohème; et son frère Matthias élu comme son successeur. Dix mois plus tard, Rodolphe était mort.

Il avait caressé l'espoir que la fabuleuse collection de maîtres, vieux et modernes, qu'il avait constituée avec une passion toute personnelle, pour son propre plaisir, deviendrait une collection impériale qui demeurerait, monument érigé à la gloire de sa dynastie. En cela, comme en bien d'autres espoirs, Rodolphe devait être désavoué. Sept ans après sa mort, les calvinistes de Prague, qui déposèrent momentanément les Habsbourg en Bohème, exigèrent que fussent vendues ces indécentes figures nues, par trop offensantes dans un Etat dévot.

Et lorsque les catholiques reprirent le pouvoir, c'est un art différent qui inonda le pays: ni séculaire, ni mythologique, ni emblématique de la philosophie naturelle et de la virtuosité maniériste, mais religieux, catholique et dogmatique. Ainsi qu'un auteur tchèque l'exprime: «Les dieux olympiens, les Grâces, les muses, les nymphes partirent en exil, laissant la place à d'autres créatures étrangères : tous ces Espagnols et autres saints aux visages sévères et ascétiques [18].» L'esprit de Philippe avait vaincu celui de Rodolphe.

En 1648 eut lieu la catastrophe. Après trente années de guerre, à la veille de la paix, l'armée suédoise du comte Königsmarck fondit sur Prague et mit la ville à sac. Par cet acte brutal et inutile fut pillée et dispersée la plus riche, la plus extraordinaire collection d'art que l'Europe avait connue. La plus grosse partie fut envoyée en Suède, dans les châteaux de Königsmarck et de Wrangel, ou dans ceux de leur insatiable reine.

C'est ainsi que l'*Adam et Eve* de Dürer et des centaines d'autres chefs-d'œuvre furent transportés à Stockholm, avant d'être redistribués, un à un, en Espagne, en France, en Angleterre. Les bustes en bronze de Leoni et de Vries ornèrent le château des Königsmarck jusqu'à ce qu'ils fussent rachetés par un ambassadeur autrichien cent cinquante ans plus tard [19]. La statue équestre de Rodolphe II par Jean Bologne se trouve encore au musée national de Stockholm. Le lascif *Mars et Vénus* de Hans Mont agrémente le palais royal de Drottningholm. Et la plupart des «têtes composées» d'Arcimboldo appartiennent encore aujourd'hui à des Suédois.

On a dit – et je crois que c'est vrai – que tout un univers intellectuel, toute une philosophie avaient péri dans la guerre de Trente Ans. Il serait difficile de préciser pourquoi il en fut ainsi : ce monde succomba-t-il lentement à une flétrissure interne, ou à un choc violent que lui porta l'extérieur? Sombra-t-il sous l'effet des suicidaires guerres de religion, fut-il piétiné par les armées de Wallenstein et de Gustave Adolphe, se dissolut-il au contact de la Raison de Descartes? Toutefois, si cette philosophie, comme je l'ai suggéré, prend corps dans la galerie de Rodolphe II, alors nous pouvons dire que le coup de grâce fut asséné par la princesse cartésienne, la virago couronnée, le bas-bleu rapace, la furie de Septentrion : Christine de Suède.

Néanmoins, lorsque cela se produisit, l'ère rudolphine était défunte depuis des lustres et la génération suivante avait opté pour une philosophie et un genre de vie nouveaux, plus cohérents, plus durables que ne l'avaient été la grâce maniériste de Jean Bologne et les excentricités surréalistes d'Arcimboldo. Or, tout cela avait déjà vu le jour sous l'égide des Habsbourg, sous l'égide, en fait, du plus jeune frère de Rodolphe, dans la dernière des quatre cours Habsbourg: la nouvelle cour archiducale de Bruxelles.

Les archiducs et Rubens

Nous nous en retournons à présent, pour notre conclusion, de Madrid, de Vienne et de Prague, au foyer original de la Renaissance nordique et de la magnificence bourguignonne prise un temps à son compte par la maison des Habsbourg: aux Pays-Bas, dont le rayonnement, au cours du siècle, semblait avoir tristement décliné.

Jetons un œil sur les Pays-Bas en 1520, année où Charles Quint fit sa Joyeuse Entrée à Anvers. La contrée était alors la plus riche d'Europe du Nord. Que pouvaient opposer l'Espagne, l'Autriche ou la Bohème aux toiles de Van Eyck, de Memling, de Quentin Metsys ou de Bosch? La musique hollandaise, qui avait conquis tout le continent, était interprétée par des musiciens hollandais jusqu'au Vatican. L'architecture hollandaise avait envahi l'Espagne. Erasme de Rotterdam était le maître à penser de l'Europe. La cour d'Espagne n'était qu'un reflet de la cour bourguignonne: Charles Quint la réorganisa *a la borgoña*, lui donna le sens de la hiérarchie et du décorum. L'ordre suprême de la chevalerie espagnole, l'ordre de la Toison d'or, fut importé des Pays-Bas. Cette splendeur, en outre, reposait sur de solides bases économiques. L'industrie et le commerce sustentaient non seulement la brillante cour bourguignonne, mais aussi le centre de la finance internationale. En 1520, alors que ses grands banquiers marchands contrôlaient le commerce de l'Europe du Nord et du Nouveau Monde, Anvers était la capitale de l'Europe.

Cinquante ans plus tard, rien n'était plus pareil. Avec le départ de la cour royale en Espagne, les Pays-Bas avaient perdu leur souverain et leur fière indépendance: ils n'étaient plus qu'une province d'au-delà les mers. Peu à peu, accumulant les erreurs, Philippe les avait acculés à la révolte. De révolte politique on en était venu à la guerre civile, puis à une guerre idéologique fomentée par les puissances extérieures. Un pays au passé glorieux était déchiré. De ce naufrage, de la polarisation des partis, de la persécution, de l'émigration et des pressions engendrées par la guerre naquirent deux nouvelles sociétés à l'opposé l'une de l'autre : d'une part, le Nord protestant et indépendant, dominé par la province de Hollande et la récente dynastie de la maison des Orange, d'autre part, le Sud « réconcilié » – soit reconquis : la Belgique catholique, dénommée Flandre par les Espagnols auxquels elle était entièrement soumise.

Plusieurs épisodes de la longue histoire de la rébellion des Pays-Bas ont une signification particulière pour les annales de l'art et du mécénat. Le premier se situe dans les années 1566-1567, temps de famine pendant lesquels les prédicateurs calvinistes détournèrent l'ire des foules affamées contre les « idoles » : vieux réflexe radical que les réformateurs protestants modérés, Luther en tête, avaient toujours condamné. Condamnation vaine, toutefois, lorsque le protestantisme se voulut révolutionnaire. En Allemagne et en Suisse dans les années 1520, en Angleterre et en Ecosse dans les années 1550, on avait monté la populace contre les « idoles mortes » des églises auxquelles étaient sacrifiées « les vivantes images du Christ ». Or il y avait plus d'« idoles mortes » à détruire aux Pays-Bas que partout ailleurs en Europe du Nord. La révolte iconoclaste éclata à Anvers en 1566 ; l'épidémie gagna ensuite Bruges, Middelburg, Gand, Amsterdam et La Haye. La foule pénétrait dans les églises, brisait les statues, détruisait les tableaux. Une fois engagé, on ne put plus enrayer le processus. Chaque crise suscitait un mouvement iconoclaste : parfois violent et immodéré, et en d'autres occasions (comme à Anvers en 1581, quand les calvinistes s'emparèrent d'Anvers), contrôlé, réglé par de fins politiques. Une fois le travail de sape effectué, on passait les murs des églises au blanc de chaux: l'idolâtrie n'était plus.

Les pertes furent énormes dans le domaine artistique. On détruisit deux toiles de Jérôme Bosch à s'Hertogenbosch. A Amsterdam, Utrecht et Gouda furent tailladées puis brûlées des œuvres de Jan Scoreel, «ainsi que maintes autres merveilles par la plèbe endiablée[1]». A Delft, Louvain et Diest on perdit plusieurs tableaux de Pieter Aertsen[2]. Le Vasari du Nord, le protestant Karel Van Mander, se désola de cette «perte tragique pour l'art» due aux «actions hargneuses d'iconoclastes déments et pris de délire». En 1581 à Anvers, le célèbre triptyque de Quentin Metsys *la Descente de Croix* fut racheté par les citoyens de la ville à la demande du peintre luthérien Martin de Vos. A Gand, le *Saint Luc* de Frans Floris échappa de justesse: le maître du peintre, le protestant Lucas de Heere, le cacha dans son atelier; et le grand trésor des premiers temps de la peinture hollandaise, l'*Adoration de l'Agneau mystique*, que l'on pouvait admirer dans l'église de Saint-Bavon, manqua plusieurs fois d'être détruit. C'est pourquoi, si le parti catholique revint au pouvoir, il eut fort à faire: il fallut remplacer statues, vitraux et autels, les remplacer, autant que possible, par des réalisations encore plus splendides, par défi, pour montrer que, loin d'être terrassée par la persécution, l'Eglise y puisait une force nouvelle.

Par malheur, durant ces tristes années, tandis que le fanatisme protestant avait épuisé les réserves d'œuvres d'art, l'intolérance catholique avait amputé les réserves d'artistes. Certains étaient protestants, mais modérés, et exécrant les iconoclastes; d'autres, des catholiques, étaient modérés de même, ennemis de l'Inquisition espagnole et de la terreur qu'elle faisait régner. Comme nombre des grands esprits hollandais de l'époque, ils étaient disciples du plus grand des Hollandais, Erasme. Si bien que, devant la guerre et la persécution, ils prirent souvent la fuite. Particulièrement lorsque les troubles gagnèrent la capitale économique et intellectuelle, Anvers.

En effet, Anvers était leur métropole. S'y trouvaient un marché de l'art fort bien structuré, une guilde des peintres, les artisans spécialisés liés à leur métier et les grands imprimeurs qui publiaient les gravures de leurs œuvres. Toutefois, durant la seconde moitié du XVIe siècle, la prospérité d'Anvers déclina. La ville souffrit de la récession internationale des années 1550, qui entraîna de nombreuses banqueroutes, puis des troubles politiques. En 1556 arrivèrent les iconoclastes, suivis par les terribles vengeances du Conseil de Sang instauré par le duc d'Albe. En 1576 la cité fut mise à sac par les mutins de l'armée espagnole furieux de n'avoir pas reçu leur solde. En 1581 les calvinistes s'en emparèrent. En 1585, après un long et effroyable siège – le plus fameux de l'histoire, devait écrire un auteur espagnol –, elle fut reprise par les soldats de Philippe II. Les protestants en furent chassés. Déjà la ville avait connu un grand exode : marchands, banquiers, érudits – ceux qui en avaient fait la grandeur –, catholiques comme protestants, avaient émigré à Amsterdam, à Londres, à Cologne, à Francfort, à Wesel (en Westphalie). Les derniers grands marchands protestants fuirent alors, emportant à Amsterdam, la nouvelle capitale commerciale du Nord des Pays-Bas, non seulement leurs talents et leurs créances, mais aussi leur soif de vengeance. Vengeance qu'ils purent assouvir d'une façon très prosaïque : les Espagnols, qui avaient repris Anvers, ne réussirent jamais à reconquérir la maîtrise de son accès à la mer, l'estuaire de l'Escaut, lequel était situé en Zélande, province qui, avec la Hollande, était à la tête de la révolte. Les déracinés exploitèrent cette situation : en interdisant le passage, ils étranglèrent Anvers et transformèrent Amsterdam, qui n'était à l'époque qu'un petit port de pêche, en capitale économique de l'Europe. Amsterdam fut érigée sur les ruines d'Anvers.

Parmi les exilés, nous trouvons des artistes ; en fait, ils étaient, avec les artisans et après les banquiers, les plus nombreux à avoir pris le chemin de l'exil. Certains, nous l'avons vu, étaient partis à Prague ou en Italie. D'autres affluèrent vers le Palatinat, sur les bords du Rhin, où l'électeur, calviniste, construisit une ville afin d'y recevoir ses coréligionnaires qui fuyaient la France ou la Flandre. C'est dans cette cité d'accueil, Frankenthal, que les réfugiés protestants des Pays-Bas fondèrent l'école hollandaise de peinture de paysage.

Mais qu'en était-il de ceux qui ne purent, ou ne voulurent pas émigrer? Malgré ses infortunes, la Belgique demeurait un centre intellectuel et financier, et nombre de ses grands marchands, érudits et artistes désiraient croire en l'avenir. Ils pensaient à Erasme et croyaient en un avenir érasméen. Entre temps, ils se conformaient à l'orthodoxie en place. Parmi ces conformistes d'apparence qui se réservaient une part de liberté intime, il y avait quelques-uns des esprits les plus libéraux de l'époque. Le grand imprimeur Christophe Plantin et le célèbre géographe Abraham Ortelius se trouvaient à Anvers au centre de la République des Lettres. Tous deux étaient reconnus officiellement par la cour d'Espagne. Tous deux étaient officiellement catholiques. Mais il semble que tous deux étaient en réalité des hérétiques, et membres d'une secte non confessionnelle, la Famille de l'Amour, qui cherchait à perpétuer les vieux principes érasméens sous des formes nouvelles. Autre personnage ambigu, et considéré par ses contemporains comme le plus grand philosophe de son temps, Juste Lipse retourna au cours des années 1550 dans sa Belgique natale. *47*

Il est difficile aujourd'hui de comprendre ce qui lui valut sa réputation. Erudit, commentateur de Tacite et de Sénèque, son livre le plus célèbre s'intitule *Sur la constance*, bien qu'il ait changé trois fois de religion. Né catholique dans le Brabant, il fut secrétaire du cardinal Granvelle, qu'il suivit à Rome. S'étant arrêté sur le chemin du retour à Iéna, université strictement luthérienne, il y séjourna trois ans et se convertit au luthérianisme. Il passa ensuite treize ans comme calviniste à Leyde, cité calviniste. Pour retourner enfin au Brabant et au catholicisme, passant ses dernières années à Louvain, où, philologue dévoué à la cause des jésuites, il apporta tout le poids de son savoir aux plus légers de leurs miracles. Malgré ces reniements successifs, il demeura fidèle à lui-même en un sens : fidèle à l'humanisme érasméen, qu'il protégeait derrière une apparente conformité au dogme prédominant dans les temps et lieux qu'il lui fut donné de traverser. La renommée dont il jouit de son vivant auprès des catholiques comme des protestants, ne peut s'expliquer que par la vénération qu'avait l'époque pour l'érudition classique et par le succès de la nouvelle philosophie dont il était le meilleur apôtre : le néo-stoïcisme. Le stoïcisme, ou culte rationnel de la vertu, imperméable à la passion et au malheur, plaisait à une société désorientée qui se raccrochait désespérément aux souvenirs de temps révolus ; en outre, le néo-stoïcisme, version chrétienne du stoïcisme, convenait parfaitement aux Pays-Bas. Les grands stoïques romains, Sénèque, Lucain, Marc-Aurèle, hommes qui tous se raccrochaient aux anciennes vertus républicaines à l'époque troublée de la Rome impériale, telles étaient les figures tutélaires du XVIIe siècle. Surtout Sénèque. L'on doit à Juste Lipse de l'avoir ajouté, lui, le plus célèbre des stoïques latins, à la liste des saints chrétiens vénérés par les Pays-Bas harcelés.

Un pays ravagé par les guerres de religion et les armées d'occupation, des églises saccagées par les iconoclastes, une effroyable hémorragie de talents... et malgré tout cela, la conviction, chez les plus belles âmes, que tout n'était pas perdu, que l'on pourrait restaurer la grandeur passée, si seulement les hommes voulaient demeurer sains d'esprit et ne pas oublier les anciens idéaux : voilà où l'on en était dans les contrées méridionales des Pays-Bas, cœur de la vieille civilisation bourguignonne, à la mort de Philippe II en 1598. Peu de temps auparavant, le vieux roi avait accompli un acte magnanime d'apparente réconciliation. Inflexible jusqu'alors, refusant tout ce qui n'était pas une soumission totale à l'Espagne, il avait rejeté avec dédain les compromis successifs proposés par ses moins sévères parents autrichiens. Mais tandis qu'il n'avait plus que quelques mois à vivre, il proposa lui-même un compromis. Sa fille préférée n'était toujours pas mariée et son avenir n'était pas assuré. Il avait essayé de lui obtenir la couronne d'Angleterre, puis celle de France, par le biais de tractations devant déboucher sur un mariage, mais rien n'avait abouti. Sur son lit de mort, il décida donc de la donner en mariage à son neveu l'archiduc Albert, frère cadet de l'empereur Rodolphe : aux heureux époux il conféra, pour la durée de leur vie commune, la pleine souveraineté sur les Pays-Bas en théorie, sur les provinces « réconciliées » en fait – soit la Belgique. Cette souveraineté, en outre, se révéla, en réalité, moins pleine que les jeunes gens auraient pu le croire, mais cela ne nous concerne pas ici. Il nous suffit de savoir que, pendant trente-sept ans, la Belgique serait gouvernée par « les archiducs » ou, plus précisément, par le couple, en tant que princes « indépendants », jusqu'à la mort d'Albert en 1621, puis par Isabelle en tant que gouverneur, au nom de son neveu, le roi d'Espagne. *46*

Durant onze années les archiducs furent en guerre, les armées espagnoles continuant à harceler les provinces « rebelles » du Nord. Mais en 1609, l'archiduc, soutenu par le général gênois de l'armée espagnole, Ambrogio Spinola, imposa enfin sa loi au gouvernement espagnol : il fit signer une trêve de douze ans. Période de paix que les archiducs, qui s'identifiaient entièrement avec leurs sujets belges et qui surent gagner leur cœur bien qu'ils fussent étrangers, entreprirent ardemment de réparer les ravages de quarante années : de rendre au pays sa prospérité, de faire revenir les exilés, de recontruire les cités en ruines, de redonner aux églises dévastées leur splendeur passée. C'est pourquoi il leur fallait un système d'idées neuves et constructives. Ces idées, ils ne pouvaient les puiser dans le conservatisme pur, le traditionalisme intransigeant de

Philippe II. Ni dans l'humanisme qui, oublieux des conflits idéologiques, avait été perpétué et affiné à la cour de Rodolphe, et exprimé par le maniérisme italien. Il leur fallait plus que le stoïcisme non-confessionnel qui avait permis à certains de supporter des années de malheur. Il fallait non seulement tout cela, mais encore lui insuffler un esprit nouveau : un esprit qui fût un mélange de vertu antique, de souplesse toute contemporaine et de courage empreint de passivité, mais aussi de dynamisme, de confiance, voire d'héroïsme. Car il fallait de l'héroïsme pour préserver les traditions, et y croire intensément pour proclamer leur pérennité. Cet esprit fut exprimé dans le domaine des arts par le génie d'un seul homme, Pierre Paul Rubens.

43

La famille de Rubens était originaire d'Anvers mais lui-même naquit à Cologne, où il vécut jusqu'à l'âge de dix ans ; son père, qui était protestant, avait fui le Conseil de Sang du duc d'Albe. A Cologne, néanmoins, Jan Rubens retourna manifestement à la foi catholique et l'éducation de son fils fut confiée aux jésuites. Les années de formation, de retour aux Pays-Bas, eurent pour décor un pays dévasté par la guerre. Durant ces treize années capitales, Rubens devint un érudit humaniste, un admirateur et un connaisseur de l'Antiquité romaine et un disciple de Juste Lipse. Il conçut également une profonde horreur de la guerre, et particulièrement de la guerre idéologique : cette haine l'habiterait toujours. Tout ce temps-là il apprit aussi à peindre ; il eut plusieurs maîtres ; le dernier s'appelait Otto Van Veen.

Réfugié hollandais, fils illégitime d'un noble, Van Veen avait eu pour maître le maniériste Federigo Zuccaro et avait subi l'influence des grands peintres de Parme que Rodolphe admirait tant : Corrège et le Parmesan. Sa vaste culture et ses manières de patricien lui avaient valu l'appui de nombreux mécènes royaux, dont l'empereur ; il avait préféré toutefois retourner aux Pays-Bas – dans la partie catholique – pour y devenir peintre de cour, au service d'abord d'Alexandre Farnèse, duc de Parme et gouverneur général de Philippe II, puis des archiducs. A l'instar de nombre d'artistes de cette époque où la mode n'était pas à la spécialisation, il était architecte et ingénieur autant que peintre. Il est possible que, par l'entremise de Van Veen, Rubens ait déjà été connu des archiducs en 1600, et que ce soit eux qui l'aient recommandé cette même année au duc de Mantoue. Quoi qu'il en soit, à l'âge de vingt-trois ans, Rubens se rendit à Mantoue. Dans cette ville il bénéficia (écrit-il plus tard) d'une «délicieuse résidence» et «ne reçut que bontés» de la famille princière, les Gonzague. Ce fut là un apprentissage très fructueux, les Gonzague comptant parmi les grandes dynasties de mécènes italiens. Mantegna et Jules Romain les avaient eu pour protecteurs; ils avaient présenté Titien à Charles Quint; leur collection était renommée dans toute l'Europe. Lorsqu'un duc dégénéré la vendrait à Charles Ier d'Angleterre, Rubens ne saurait taire son dégoût. Mieux aurait valu qu'il meure, fulmina-t-il; il semblait qu'avec le départ de la collection, le génie du lieu avait déserté Mantoue. Lorsqu'il était au service du duc de Gonzague, Rubens eut l'occasion de beaucoup voyager et, en voyageant, d'étudier les maîtres de la grande Renaissance, lesquels dominaient encore leurs élégants successeurs maniéristes. En 1603, le duc lui ayant confié une délicate mission en Espagne, il put admirer là-bas les Titien des collections de Charles Quint et de Philippe II; il y peignit également le portrait équestre du tout-puissant favori, le duc de Lerma, et, pour celui-ci encore, une série de tableaux religieux. L'alliance de la peinture et de la diplomatie demeurerait une constante chez lui; pour l'heure, néanmoins, son penchant artistique avait le dessus. L'Espagne compterait beaucoup dans sa carrière et il y retournerait, mais la froide sévérité de son atmosphère lui déplut alors, de même que la bigoterie de ses érudits. Titien comptait plus à ses yeux que la protection de Lerma ou de Philippe III et il s'en retourna gaiement vers la chaleur de l'Italie.

En Italie il se déplaça beaucoup : il alla à Gênes, Venise et Rome. Gênes lui plut : il y prolongea son séjour. Il fut toujours passionné par ce qui s'y passait. Il devait d'ailleurs écrire un ouvrage sur ses palais et l'un de ses grands cycles héroïques – la série de tableaux sur le consul Decius Mus – serait réalisé pour des clients génois. L'influence la plus forte, cependant, fut celle de Rome, où il rejoignit son frère Philippe, grand amateur d'antiquités comme lui, et disciple – disciple préféré, de toute évidence – de Juste Lipse. Un docteur allemand qui soigna Rubens en 1606, année de la mort de Juste Lipse, déclara que lui et son frère étaient dignes d'occuper la chaire du grand homme à Louvain.

A Rome les deux frères étudièrent ensemble les antiquités ; Rubens devait se représenter plus tard, en compagnie de son frère et d'un ami, sous les traits de trois *47* disciples entourant Juste Lipse, assis sous un buste de Sénèque. Le buste était romain : Rubens s'en était procuré une copie. C'est à partir de celle-ci, et d'une célèbre statue également romaine qu'on croyait figurer le philosophe stoïque, qu'il exécuta *la Mort de Sénèque*. Il peignit également *44* un portrait de Juste Lipse destiné à la maison des impri- *45* meurs de ce dernier, les Plantin.

Néanmoins, si à Rome Rubens fut à la fois érudit humaniste et philosophe stoïque, il y découvrit aussi un nouvel idéal, fort différent de l'héroïsme patricien en lequel Juste Lipse avait vu l'unique moyen de préserver l'esprit d'Erasme en des temps de troubles. Car c'est là qu'il découvrit l'œuvre du nouveau génie artistique qui bouleversait toutes les conventions de son temps : le semeur de discorde qui soulevait des tempêtes dans les mers agitées de l'art italien, Michelangelo Amerighi, dit le Caravage.

La puissance tumultueuse, le réalisme féroce, profane et inconvenant du Caravage divisait ses mécènes, scandalisait l'Eglise, exaspérait les critiques en place. L'Eglise de la Contre-Réforme exigeait de ses peintres une conformité totale aux règles : à la doctrine, à la bienséance. Les autorités artistiques exigeaient une conformité sans faille aux conventions académiques. L'existence houleuse et violente du Caravage, assassiné à trente-six ans, aurait choqué Juste Lipse, qui prêchait une philosophie faite de conformité extérieure et d'harmonie intime. Mais son œuvre fascina Rubens.

Enfin ce dernier trouvait là une réponse à la grâce stylisée et académique du maniérisme. Il copia plusieurs toiles du maître sur place et persuada le duc de Mantoue d'acquérir le controversé *Mort de la Vierge*, de même qu'il convaincrait ses collègues belges d'acheter la *Madonna del Rosario* pour une église d'Anvers.

Ses propres tableaux, quelque aristocratiques, majestueux et olympiens qu'ils soient dans la forme, vibrent d'une vigueur qui est souvent animale, brute. Il n'est qu'à songer à ses scènes de bataille, à ses chasses au lion, à ses effroyables portraits de Saturne dévorant son enfant et de Judith décapitant Holopherne, ou à ses centaures en rut. Ses Bacchus, ses Silènes, ses enlèvements de Proserpine et de Ganymède sont à des lieux des élégantes postures et séductions hésitantes qui faisaient le bonheur de Rodolphe. Rares sont ses œuvres pour lesquelles on ne trouve pas de modèle chez le Caravage. S'il faut définir sa véritable contribution à l'histoire de l'art, disons qu'il insuffla aux traditions classiques de la Haute Renaissance et du stoïcisme aristocratique d'une société en désarroi l'énergie et le réalisme neufs et revitalisants du Caravage, fournissant par là-même une force imaginative nouvelle à la Contre-Réforme.

Dans son étude sur le maniérisme, John Shearman a écrit que la génération du Caravage, de Monteverdi et de Rubens avait recouvré «l'énergie organique» perdue par le languide esthétisme de la fin du XVIe siècle[3]. Notons que Rubens devait connaître l'œuvre de Monteverdi aussi bien que celle du Caravage. Les deux hommes devaient d'ailleurs se connaître personnellement puisque durant toute la durée du séjour de Rubens à Mantoue, Monteverdi y était *maestro di capella* du duc; c'est là qu'en 1607 il créa l'*Orfeo.* Le musicien devait par la suite exercer à Venise, mais sa communauté de goût avec Rubens se manifesterait dans sa dernière année – qui fut également celle du peintre: son chef-d'œuvre, *L'Incoronazione di Poppea*, qu'il donna alors, n'a-t-il pas pour protagoniste le héros de Rubens, Sénèque?

Lorsque Monteverdi transporta son talent à Venise, Rubens avait déjà transporté le sien dans sa Belgique natale. Par un heureux hasard, il retourna à Anvers précisément au moment où on y avait le plus besoin de lui et où une magnifique occasion allait s'offrir à lui. Vers la fin de 1608 il se trouvait en Italie quand il apprit que sa mère était malade à Anvers. Il décida de s'y rendre mais arriva trop tard: elle était déjà morte. Il se prépara à retourner en Italie «pour toujours». Il avait été invité à Rome, écrivit-il, «dans les meilleures conditions». C'est alors qu'intervint l'archiduc Albert. Il pressa Rubens d'entrer à son service, usant de «toute sorte de compliments».

Rubens n'était pas enthousiaste. L'Italie le réclamait. Et même s'il choisissait de s'installer en Flandre, il ne vivrait pas à la cour de Bruxelles, il habiterait Anvers, où son frère Philippe venait d'être nommé prévôt. Il reconnaissait que l'offre de l'archiduc était «très généreuse, mais je n'éprouve guère le désir de redevenir un courtisan. Anvers et ses citoyens me suffiraient, si je pouvais dire adieu à Rome».

Il ajouta toutefois une phrase admirable: «On signera sans doute la paix, écrivit-il, ou plutôt une trêve durable et pendant cette période il est à croire que notre pays prospérera de nouveau[4].»

Le retour de Rubens à la fin de l'année 1608, l'offre de l'archiduc, la paix de douze ans signée en 1609, tout cela est intimement lié. C'était probablement lié, en tout cas, dans l'esprit de l'archiduc. Celui-ci, suivant une inclination familiale, était connaisseur et collectionneur.

Sa seule résidence de Tervuren abritait deux cents œuvres d'art et il en possédait beaucoup d'autres ailleurs, dans son palais de Bruxelles et dans le château de Marie de Hongrie, Mariemont. La majorité étaient des vieux maîtres hollandais et allemands. Parmi les peintres vivants, il montrait une prédilection pour les maniéristes formés à l'école romaine, comme Van Veen, dont il appréciait la compagnie, parce que c'était un humaniste raffiné, rompu aux règles de la société. Cependant Rubens lui aussi était un humaniste raffiné et un courtisan accompli. Il semble évident que l'archiduc aurait rappelé Rubens même si la maladie de la mère de ce dernier n'avait pas rendu ce retour impératif: il avait contacté le peintre en Italie[5]. Il songeait déjà au travail à accomplir, à la reconstruction, aux années de paix. L'archiduc n'avait d'ailleurs pas jeté son dévolu sur le seul Rubens. Parfaitement conscient de la ruine à laquelle avait mené la longue guerre, il était résolu à endiguer l'hémorragie de talents et à renverser le courant. Il avait déjà pris des mesures dans ce sens, ayant en 1604 rappelé Wenzel Coebergher, un architecte, peintre et ingénieur qui avait fui Anvers dans les années 1570 et passé vingt-cinq ans à Rome et à Naples. Coebergher était désormais architecte de la cour de Bruxelles. Lui aussi était cultivé, doté d'un vaste savoir cosmopolite, connu et admiré par les cercles raffinés de toute l'Italie. Il lui reviendrait de construire les églises et d'assécher les marais des Pays-Bas des archiducs. Où était revenu également le paysagiste Jan Bruegel, dit Bruegel de Velours, fils du grand Pieter, dit Bruegel le Vieux. Ayant émigré en Italie durant la guerre, il était entré au service de Federigo Borromeo, archevêque de Milan. Retourné à Anvers en 1596, il y était devenu citoyen et membre de la corporation des peintres de la ville. Comme nous l'avons vu, Rodolphe II était parvenu à l'attirer à Prague temporairement. En l'année 1609, celle de la trêve, les archiducs s'emparèrent aussi de lui, le nommèrent peintre de la cour et lui commandèrent une série de paysages.

Ainsi, l'invitation faite à Rubens s'inscrit dans un plan plus vaste : ayant réussi à instaurer la paix dans les Pays-Bas, les archiducs étaient impatients de voir revenir la prospérité perdue et refleurir la splendeur de la cour de Bourgogne. Rubens était conscient à la fois de leurs intentions et de la chance qui se présentait à lui. Balayant ses doutes, il accepta sa nomination, qui fut accompagnée d'une dispense l'autorisant à vivre, non à Bruxelles, mais à Anvers, et d'enseigner son art sans être soumis aux restrictions corporatives. Voilà comment fut créé à Anvers le plus célèbre atelier d'artiste depuis la mort de Titien trente-trois ans auparavant.

Les quatre artistes que j'ai nommés – Otto Van Veen, Wenzel Coebergher, Jan Bruegel et Rubens – formèrent le groupe des artistes de la cour des archiducs durant les années de trêve. Ils se connaissaient tous bien. Rubens avait été l'élève de Van Veen. Collaborateur de Coebergher, il décorait les églises que celui-ci construisait. Il était ami intime de Bruegel. Non seulement il exécuta conjointement avec celui-ci plusieurs tableaux – *le Jardin d'Eden*, conservé au Mauritshuis de La Haye, et *la Fête d'Acheloüs* au Metropolitan Museum, entre autres –, mais il fut son secrétaire italien durant de longues années : la plupart des lettres de Bruegel à son vieux mécène milanais le cardinal Borromeo ont été rédigées par Rubens et lorsqu'il était absent d'Anvers, la correspondance était suspendue. On sait que l'archiduc aimait particulièrement se reposer après dîner en compagnie des quatre artistes[6]. Mais il n'est pas besoin de se demander lequel était, parmi eux, la figure dominante : c'était Rubens, manifestement, car, bien qu'il fût le cadet, on lui doit d'avoir apporté à Anvers l'esprit nouveau, l'énergie de la pensée et de la composition qui devaient marquer à la fois la dernière grande période de la Renaissance flamande et toute une époque de l'histoire de l'art.

L'archiduc se rendit-il compte de la révolution qu'il allait causer en appelant Rubens à sa cour ? Pouvait-il supposer qu'en l'empêchant de retourner en Italie, il faisait plus pour la gloire artistique des Pays-Bas que tous les autres membres de sa famille réunis? Peut-être pas. Comme ses frères, les empereurs Rodolphe et Matthias, il avait des goûts éclectiques et défendait le maniérisme. C'était un fils de l'Eglise docile qui manquait peut-être aussi d'imagination. Cardinal, il n'avait épousé l'infante que poussé par la raison d'Etat et, en tant que vice-roi du Portugal sous Philippe II, avait joyeusement présidé aux opérations de l'Inquisition de Lisbonne tout nouvellement revivifiée. Peut-être ne voyait-il en Rubens, alors en Italie, qu'un jeune peintre compétent, un élève d'Otto Van Veen qui avait donné satisfaction à ses commanditaires en Italie et en Espagne, de même que son frère, l'empereur Rodolphe, en avait entendu parler par son messager artistique, Hans von Aachen, qui l'avait rencontré lors d'un séjour à Mantoue. Suivant le conseil de von Aachen, Rodolphe avait commandé un tableau à Rubens, mais pas un original: de façon tout à fait caractéristique, il lui avait demandé d'exécuter des copies de deux tableaux du Corrège conservés à Mantoue. Loin de toute surveillance, Rubens préféra copier Titien. Il se peut que l'archiduc ait eu les mêmes goûts que son frère: qu'il se soit attendu à trouver en Rubens un fidèle imitateur du Corrège, un vrai disciple de Van Veen. Il dut, si c'était le cas, être surpris par le résultat.

Le premier, le plus évident des domaines dans lesquels Rubens montra son talent, était l'art religieux. Les Pays-Bas méridionaux, que l'Espagne avait reconquis par les armes et qu'elle gardait sous son joug par les armes, n'étaient pas seulement le bastion de l'empire espagnol dans l'Europe du Nord, l'« ancien patrimoine » de la maison de Habsbourg; ils étaient aussi le cœur, et la vitrine, de la Contre-Réforme en pays protestant. Ainsi, en ces temps de paix qui avaient été si longs à revenir, l'Eglise catholique s'évertuait à regagner le terrain perdu, à rassembler ses forces, à déployer tous ses charmes. Durant les années de reconquête on avait chassé les protestants les plus ardents et les avait remplacé par des missionnaires catholiques. Durant les années de paix, grâce à la protection zélée des archiducs, on restaura le culte et la vie catholiques, de nouveaux ordres religieux affluèrent, on construisit et orna de nouvelles églises, on pansa les plaies infligées par la guerre et l'iconoclasme. Après avoir été le théâtre de maintes désolations, les Pays-Bas méridionaux devinrent le modèle d'une société catholique triomphante, agressive et fière, un centre d'où rayonnèrent des missionnaires vers l'Angleterre, la Hollande et l'Allemagne, dont ils devaient éblouir, séduire, et remettre dans le droit chemin les protestants égarés. Dans cette restauration catholique, les arts devaient tenir un rôle non négligeable: ils lui servaient de propagande. Quoi que le protestantisme eût attaqué, le catholicisme devait le rétablir: le culte des images, de la Vierge, des saints, des reliques, des mystères spécifiquement catholiques, des doctrines controversées, des miracles douteux, des martyres héroïques; il devait les rétablir avec panache, force et conviction. A l'intention de ses aristocratiques mécènes laïques, las des batailles doctrinales et désireux de bénéficier pleinement du luxuriant été indien de la *Pax Hispanica*, l'humaniste Rubens représenta des scènes inspirées de l'Antiquité ou de la mythologie païenne exemptes de la pruderie et la dureté de l'esprit de la Contre-Réforme. Bannie des scènes religieuses, la nudité pouvait ici être montrée tout à loisir. Pour ses mécènes ecclésiastiques, il produisit des retables monumentaux et des scènes tirées de l'histoire sacrée dans lesquelles la féroce énergie du Caravage était muselée par l'Eglise Triomphante et les détails multiples et précis, fournis par les grands docteurs de la Contre-Réforme. L'apparente victoire de l'Eglise catholique sur l'hérésie européenne fut célébrée à Rome par la consécration de la récente et somptueuse église de Santa Maria Maggiore. Parmi d'autres fresques savantes vouées à la propagande, Giovanni Baglione dépeignit le

35 Adriaan de Vries (vers 1560-1626), portrait de Rodolphe II en buste.

36 Adriaan de Vries, *Rodolphe II apportant les Arts et les Sciences en Bohème*, 1609.

37 Giuseppe Arcimboldo (vers 1530-1593), *Rodolphe II en bibliothécaire.*

38 Roelandt de Savery, *Paysage avec animaux*, détail.

39 Pieter Bruegel, *le Pays de Cocagne.* Rodolphe possédait une dizaine d'œuvres de Bruegel.

La collection de Rodolphe comprenait de nombreux objets précieux, dont:
40 Une horloge en forme de navire, en bronze doré.

41 Une coupe en agate dont le pied est formé par quatre sirènes en or; elle figure dans l'inventaire de la *Kunstkammer* (1606-1611).

42 Une coupe en bézoard réalisée dans les ateliers impériaux de Prague.

43 Pierre Paul Rubens (1577-1640), autoportrait réalisé vers la fin de sa vie.

44 Pierre Paul Rubens, esquisse pour le frontispice de l'*Opera Omnia* de Juste Lipse, Anvers, 1637.

45 Pierre Paul Rubens, esquisse destinée à l'imprimerie Plantin, qui publiait les ouvrages de Juste Lipse.

46 *(Ci-contre)* Hendrik Staben, *les Archiducs Albert et Isabelle visitant l'atelier de Rubens*, détail.
47 *(Ci-dessus)* Pierre Paul Rubens, *Juste Lipse et trois de ses disciples*, vers 1612. On reconnaît le peintre et son frère.

48 *(Ci-contre)* Pierre Paul Rubens, *Descente de Croix*, vers 1611-1614. La toile était destinée à la cathédrale d'Anvers.

49 *(Ci-dessus)* Pierre Paul Rubens, *les Miracles de saint Ignace de Loyola.* Ce tableau fait partie d'un retable commencé en 1620 pour la nouvelle église jésuite d'Anvers.

50 *(Ci-contre, en haut)* Pierre Paul Rubens, *Triomphe de l'Eucharistie sur l'Ignorance et l'Aveuglement*, esquisse préparatoire pour une tapisserie commandée par l'infante Isabelle vers 1625; 51 *(ci-contre, en bas) le Règne pacifique de Marie de Médicis*, esquisse; 52 *(ci-dessus) Mercure abandonnant Anvers*, projet pour un arc de triomphe lors de l'Entrée du cardinal-infant don Fernando à Anvers, 1635.

53 Pierre Paul Rubens, *les Horreurs de la guerre*, détail.

douloureux trépas des empereurs iconoclastes de Byzance. A la même époque, dans la Flandre reconquise, Rubens illustrait aussi la défaite de l'iconoclasme, exécutant pour les églises d'Anvers deux œuvres spectaculaires, *l'Elévation de la Croix* et la *Descente de Croix*. *48*

A cette entreprise de reconquête spirituelle contribuaient avec le plus de pugnacité et de succès les jésuites, fer de lance de la Contre-Réforme; c'est aux Pays-Bas qu'ils furent le plus efficace. Sans compter qu'ils étaient l'ordre préféré de l'archiduc: sous son gouvernement, de 1598 à 1621, leur nombre quadrupla. Ils acquirent fortune et pouvoir, devenant en retour les plus fidèles soutiens du régime, prêchant une obéissance absolue à la maison d'Autriche. Leurs ambitions, leurs prétentions étaient sans bornes. Ils dominaient la vie intellectuelle du pays, lui imposant la nouvelle architecture italienne, contrôlant l'éducation, la littérature, les arts. Ce sont eux qui avaient asservi le vieux Juste Lipse. Ils devaient bientôt asservir l'infante. Il était inévitable qu'ils devinssent les protecteurs – quoique jamais les maîtres – de Rubens: sa plus grandiose commande ecclésiastique vint d'eux.

A Anvers, comme ailleurs, les jésuites édifiaient à cette époque une nouvelle église, qui devait éclipser toutes les autres – de même qu'ils éclipsaient tous les autres ordres. Conçue à l'image du Gesù de Rome par un des membres de la Compagnie de Jésus, par l'un des plus célèbres des nombreux architectes jésuites, le frère Pieter Huyssens, elle devait être dédiée à saint Ignace de Loyola, le fondateur de l'ordre nouvellement canonisé. Outre trente-neuf tableaux destinés au plafond, Rubens entreprit la réalisation de deux retables dont l'ordre pourrait choisir celui qui lui conviendrait. Cette commande procura du travail à son atelier (y compris à son élève Van Dyck) durant sept ans. Lorsque l'église fut consacrée, les visiteurs furent éblouis par sa splendeur: par la quantité de marbre et d'ors, et en premier lieu par les «fières toiles dues à Rubens (comme l'écrivit l'ambassadeur d'Angleterre), que l'on *49* tient à ce jour pour le maître artisan le plus accompli du monde[7]». D'aucuns, toutefois, s'alarmèrent du coût de l'opération. Parmi eux, le général de l'ordre à Rome; tant de luxe et d'ostentation, pensait-il, allait à l'encontre de l'idéal de pauvreté chrétienne professé par les jésuites: il interdit donc que l'on ouvrît l'édifice. De même, il envoya frère Huyssens dans un monastère, lui ordonnant d'abandonner la pratique de l'architecture. Cependant, l'infante (l'archiduc étant mort depuis) le fit sortir bientôt de sa retraite forcée, lui fit reprendre sa profession, lui demanda de tracer les plans de sa chapelle privée, l'envoya en Italie étudier les plus beaux modèles et choisir les marbres les plus onéreux, avant de suivre avec satisfaction l'édification de son nouveau chef-d'œuvre, Saint-Pierre de Gand[8]. Auquel Rubens collabora encore, lui qui conseillait l'infante et allait produire pour l'église son splendide, quoique terrible *Martyre de saint Lievin*.

Dans ses retables et œuvres religieuses, Rubens mit toute la force extraordinaire de son art au service de la Contre-Réforme, dont les archiducs étaient les défenseurs. Mais il y eut une autre cause qui était à ses yeux presque aussi importante – et qui l'était assurément plus que la glorification des jésuites, dont il perça à jour la vanité et qu'il méprisa bientôt. C'était la cause de la paix: paix aux Pays-Bas, paix en Europe. Sur ce terrain il retrouvait encore les archiducs.

Ceux-ci étaient à l'origine de la trêve de 1609 qui avait encouragé le peintre à demeurer en Flandre; trêve qu'ils avaient mise à profit pour rétablir l'économie de leur pays et promouvoir leurs idées religieuses. La splendeur de leur cour, dont la stabilité et la magnificence, selon l'avis de tous, n'avaient pas d'équivalents ailleurs en Europe, dépendait de la paix. C'est pourquoi, lorsque les douze années prévues par la trêve approchèrent de leur terme, l'archiduc s'évertua à la renouveler. Il devait échouer. En 1621, l'année même où elle devait cesser, le pouvoir changea de mains à Madrid: Philippe IV montait sur le trône, prenant comme ministre le comte-duc d'Olivarès. Les deux hommes ranimèrent les ambitions de Philippe II et ne manquèrent pas, la trêve expirée, de reprendre la guerre avec les Provinces-Unies: bientôt celle-ci se confondrait avec la guerre menée en Allemagne, la guerre de Trente Ans. Durant ce long conflit – deuxième moment de la révolte des Provinces-Unies qui devait courir sur quatre-vingts ans –, la prospérité que la Belgique avait connue sous le règne des archiducs, dont l'éclat n'avait d'égal que la fragilité, serait mise à mal.

En 1621, année, donc, où reprirent les hostilités, mourait l'archiduc Albert. Sur son lit de mort il conseilla à l'infante, qui devrait désormais régner seule, de s'appuyer sur Rubens, dont les idéaux étaient tellement proches des siens, dont les dons diplomatiques avaient fait leur preuve et dont la profession le mettait en rapport avec de nombreux hommes d'Etat et courtisans de l'époque. Tel recours n'était pas pour plaire aux grands aristocrates bourguignons qui revendiquaient le monopole de l'influence politique à la cour. Néanmoins, Rubens bénéficiait heureusement de l'appui d'Ambrogio Spinola, le commandant en chef gênois des Espagnols aux Pays-Bas; ce dernier était de même un ardent défenseur de la paix avec les Provinces-Unies. Entre 1621 et 1633, l'infante envoya Rubens en mission secrète trois fois en Hollande et une fois en Allemagne, et en 1628 Spinola persuada Philippe IV de l'appeler en Espagne pour l'envoyer en Angleterre en tant qu'ambassadeur extraordinaire. En chacune de ces occasions Rubens devait rechercher la paix: la paix avec la Hollande, la paix avec l'Angleterre. Ç'avait toujours été la politique de l'archiduc, c'était celle de l'infante, et c'était la sienne.

En effet, le peintre honnissait la guerre, qui avait été la ruine de son pays et serait, il n'en doutait pas, celle de la civilisation. Conviction qui en faisait le digne successeur de ses maîtres, Erasme et Juste Lipse.

Parfois ses paroles sont comme l'écho des virulentes

dénonciations érasméennes des rois carnivores amateurs de batailles. Comme ses aînés, Rubens croyait en la paix, en l'unité de la chrétienté. Si les humanistes cherchaient à faire revivre l'Empire romain, c'était en raison de la *Pax Romana*, laquelle avait permis la floraison de toute une culture; de la même façon, pour Rubens, et bien qu'il n'aimât pas l'Espagne, la *Pax Hispanica* justifiait la domination de l'Europe par l'Espagne. «Aujourd'hui, écrivit-il un jour, les intérêts du monde entier sont mêlés intimement»: la paix était donc une nécessité. Hélas, ajoutait-il, les grandes nations «sont gouvernées par des hommes inexpérimentés et incapables de suivre le conseil des autres»: ils ne faisaient donc rien pour «mettre fin aux souffrances de l'Europe[9]».

Dans ses lettres il s'élève sans cesse contre la guerre et les bellicistes. «Assurément, il serait préférable, écrit-il, que ces jeunes gens qui gouvernent le monde de nos jours [le roi de France et le roi d'Espagne] acceptassent d'entretenir des relations amicales au lieu de plonger toute la chrétienté dans le tourment par leurs caprices.» Les partisans de la guerre en Espagne, qui soutenaient qu'elle était nécessaire pour que triomphe la religion, ne leur accordaient aucun crédit: «Ils sont le fléau de Dieu, ceux qui accomplissent son œuvre de telle manière.» Car, quoiqu'il fût un fervent catholique, assistât chaque matin à la messe avant de se mettre au travail et mît ses talents au service de la reconquête catholique, sa correspondance privée montre qu'il était loin de souscrire à la doctrine tridentine, et il détestait les querelles partisanes. Comme Erasme et Juste Lipse encore une fois, et comme son ami hollandais Hugo De Groot, il était avant tout œcuménique dans ses vues, prêt à accepter une certaine diversité en matière de confession. A la vérité, l'un des reproches que l'on adressait au néo-stoïcisme était justement que c'était un christianisme attiédi, «fait pour les hommes rationnels, pour les intellectuels qui sont toujours à raisonner... mais ne se laisseront jamais emporter par la folie de la croix[10]». Leurs opinions les menaient donc à rejeter les persécutions et les guerres de religion, d'autant plus que de telles guerres se déroulaient sous leurs yeux. Rubens se lamentait amèrement des méthodes employées par les chefs militaires de la ligue catholique. «Le général impérial Wallenstein, écrit-il, agit en tyran, brûlant villes et villages comme un barbare.» Le plus grand peintre de scènes de batailles – qui dans ses toiles prennent des allures de ballets – nourrissait peu d'illusions sur la véritable nature de la guerre telle qu'elle était menée au XVIIe siècle[11].

La carrière diplomatique de Rubens culmina en 1629-1630, lorsqu'il fut envoyé en mission en Angleterre. Deux ans plus tôt, quand Philippe IV avait appris que l'infante l'utilisait comme agent secret, il lui avait signifié sa désapprobation. Des affaires de cette importance, avait-il écrit, ne se devaient pas confier à un «peintre». L'infante ne fut pas prise au dépourvu: Charles Ier d'Angleterre, répondit-elle, n'utilisait-il pas lui-même un peintre, le dilettante cosmopolite Sir Balthasar Gerbier, le contact de Rubens? Le roi d'Espagne s'était donc incliné. Il appela Rubens à Madrid puis l'envoya à Londres comme ambassadeur extraordinaire, doté d'un titre nobiliaire. Ses instructions étaient de négocier la paix entre les deux pays: ce qui fut fait. Ses héritiers furent si fiers de sa prouesse qu'ils tinrent à ce qu'on la mentionnât sur son tombeau.

Rubens avait d'ailleurs des raisons d'être satisfait. Il était heureux d'avoir œuvré pour la paix. Mais pour lui la paix avec l'Angleterre n'était qu'un début. Son espoir secret était qu'elle mènerait à une paix générale dont les Flandres avaient bien besoin, et particulièrement Anvers, détruite à nouveau par la guerre. «Notre cité, écrit-il, s'achemine peu à peu vers la ruine et ne vit que de ses économies: elle ne peut pas compter sur le moindre commerce.» Et plus loin: «Cette cité languit tel un corps atteint de consomption, déclinant peu à peu. Chaque jour le nombre de ses habitants décroît, ces malheureux n'ayant point de quoi subvenir à leurs besoins par le biais du commerce ou de l'industrie.» La paix, hélas, n'était pas le but recherché par Olivarès: il devint bientôt évident que cet ambitieux ministre ne cherchait à se débarrasser de la guerre avec l'Angleterre que pour mieux frapper aux Pays-Bas; la cour d'Espagne aurait pu mettre le holà à ses plans belliqueux – elle en fut cependant incapable, plongée qu'elle était «dans une profonde léthargie». Rubens décida donc d'agir de son propre fait. Il alla voir secrètement l'ambassadeur hollandais à Londres et lui confia que les cinq provinces septentrionales des Pays-Bas «pourraient obtenir la paix si elles le désiraient, et ainsi instaurer le calme et la tranquillité après une longue guerre dans l'ensemble des 17 Provinces». Son intervention ne rencontra aucun écho. Un seul moyen permettrait de parvenir à ce résultat: l'expulsion des Espagnols. Au tréfonds de lui-même, Rubens ne pouvait qu'en convenir. Peut-être la domination espagnole sauverait-elle l'Eglise, mais la guerre que menait l'Espagne ruinait les Flandres, comme elle ruinait l'Italie [12].

Après les succès de Rubens à Londres, Philippe IV (qui ignorait tout de sa diplomatie secrète) balaya ses objections quant au recours à un «peintre» dans des affaires d'Etat: il désira donner un caractère permanent à sa nomination. Un conseiller eut beau faire remarquer que Rubens «pratiquait un art et vivait du produit de sa besogne», le roi persista: on l'estimait fort à la cour de Charles Ier, il avait montré qu'il était fin diplomate, et «en de telles affaires, l'on a besoin de ministres qui ont fait preuve de leur intelligence et dont on est satisfait». L'intéressé, néanmoins, ne désirait pas retourner à Londres, et il obtint le soutien de l'infante qu'il servit durant quatre ans encore en la même qualité, toujours en quête d'un moyen pour arrêter la désastreuse guerre avec la Hollande. Après quoi, déçu dans son ambition, outragé par la noblesse flamande et désireux de se consacrer entièrement à son art, il chercha à se dégager de ses obligations. Selon ses propres paroles: «J'ai pris la décision de couper ce nœud d'ambition afin de recouvrer ma liberté» et «j'ai saisi l'occasion d'un voyage secret pour me jeter aux pieds de Son Altesse et requérir, en récompense de mes multiples efforts, d'être exempt de telles tâches à l'avenir, et demander la permission de la servir dans ma propre demeure. Faveur que j'obtins avec plus de difficulté que toutes celles qui m'avaient jamais été accordées[13].»

Cela se passait en 1633. L'infante devait mourir la même année. Bien que, comme son époux, elle eût été un mécène généreux, ses goûts l'avaient portée principalement, et de plus en plus, vers les œuvres religieuses. Commandait-elle un grand cycle de peintures? Celles-ci ne devaient pas prendre pour thème l'Antiquité romaine ou la gloire de sa dynastie, mais les progrès de la Contre-Réforme, la victoire de l'Eucharistie sur le paganisme, l'ignorance et *50* l'hérésie protestante. Après sa mort, la cour d'Espagne envoya pour lui succéder le frère cadet de Philippe IV, le cardinal-infant don Fernando: c'est l'atelier de Rubens qui exécuta les décors de son Entrée triomphale. Parmi les somptueux «tableaux» consacrés, une fois de plus, à la glorification de la maison des Habsbourg – la longue lignée d'empereurs et de rois depuis Rodolphe II, les scènes mythologiques, l'histoire personnelle du cardinal-infant, dont l'apogée était sa victoire récente à Nördlingen sur l'armée suédoise invaincue jusque-là – au milieu de tout cela, se trouvait un «Tableau de Mercure» figu- *52* rant le dieu du commerce... lequel désertait la cité appauvrie d'Anvers[14].

Le cardinal-infant poursuivit le mécénat de ses oncle et tante, il fit de Rubens son peintre de cour. C'est lui qui commanda les décorations du pavillon de chasse royal de la Parada, en Espagne, où quelques-unes des célèbres scènes de chasse de Rubens devaient bientôt compléter les charmants portraits que Velázquez avait exécutés des jeunes princes espagnols tout équipés pour la battue[15].

Cependant, il ne chercha pas à lui redonner son rôle de diplomate. Rubens vivait alors dans une semi-retraite. Comme l'écrivit son premier biographe, recherchant « une tranquillité plus grande encore que celle dont il jouissait, il acquit le domaine de Steen, situé entre Bruxelles et Malines, où il se retirait parfois en toute solitude, et où il aimait peindre des paysages d'après Nature, cette campagne étant plaisante, car prés et collines s'y mêlent harmonieusement [16] ». C'est ainsi qu'en son vieil âge le plus grand peintre de cour devint l'un des plus parfaits peintres de paysage ; ainsi, de même, écrivit-il, « par la grâce divine, j'ai trouvé la paix de l'esprit, ayant renoncé à toute sorte d'occupation, hormis ma bien-aimée profession [17] ».

Le Rubens qui nous intéresse n'est pas le diplomate mais le peintre, et ce que nous recherchons à travers sa peinture, ce sont les idées qu'il servait. Néanmoins, chez lui art et diplomatie n'étaient guère dissociés. Tout cela était lié dans sa philosophie de la vie. Le désir de paix qui l'animait, lui, natif des Pays-Bas, tout comme il animait ses mécènes royaux, lesquels avaient adopté les Pays-Bas par devoir, puis avaient été conquis par eux, ce désir de paix se retrouve dans ses tableaux. En surface Rubens est le peintre de la Contre-Réforme ; mais ce n'est là que le signe de sa soumission à ses commanditaires, et non pas l'expression d'un engagement personnel. Sa conviction intime le portait à travailler plutôt pour la paix. Il est en réalité le peintre, et le diplomate, de la paix européenne.

En 1621, le lendemain de la consécration de l'église jésuite d'Anvers dont on avait pu admirer les splendides autels et plafonds, Rubens écrivit à un ami anglais, Sir William Trumbull, une lettre qui nous dévoile à la fois la merveilleuse confiance qu'il avait en sa puissance créatrice et les germes de l'une de ses plus belles œuvres à venir. Agent de Jacques Ier d'Angleterre, Trumbull avait pressenti Rubens pour un nouveau projet, un autre plafond d'envergure, celui du Banqueting Hall de Whitehall, salle d'apparat que venait d'achever le célèbre architecte Inigo Jones.

La réponse de Rubens témoigne de son intérêt. «Je confesse, écrivit-il, être par nature plus outillé pour exécuter de grandes compositions plutôt que de menues curiosités. A chacun ses dons; mon talent propre fait que nulle entreprise, quelque vaste et variée, n'a jamais pu venir à bout de mon courage[18].» Le plafond qu'il réalisa pour le Banqueting Hall – il le conçut lorsqu'il était ambassadeur à Londres en 1629 et le compléta en 1634 – représentait l'apothéose de Jacques Ier en *Rex Pacificus.* A Londres encore, Rubens peignit son allégorie *la Paix et la Guerre*, dont il fit don à Charles Ier.

Très peu de temps après avoir fait savoir qu'il acceptait la commande londonienne en 1622, Rubens commença à travailler, pour Marie de Médicis, sur un autre projet d'envergure, la première de ses deux séries de tableaux pour le nouveau palais de la reine, le Luxembourg. Ces toiles représentaient – lorsque Rubens eut le libre choix de ses sujets – «l'épanouissement du Royaume de France, *51* avec le renouveau des sciences et des arts» durant la régence pacifique de la reine. Finalement – peut-être dans le cadre de la seconde série, inachevée à cause de la dramatique intervention de Richelieu, qui la poussa à l'exil, dans les Pays-Bas espagnols –, il peignit une allégorie de caractère dramatique, *les Horreurs de la guerre.* Allégorie qu'il *53* décrivit et interpréta de cette façon dans une lettre à un ami: les monstres qui personnifient «Pestilence et Famine, ces inséparables acolytes de la Mort» et les symboles montrant qu'en temps de guerre, tous les beaux-arts et les lettres sont foulés au pied. Quant à la «femme accablée de chagrin, vêtue de noir, au voile déchiré, dépouillée de tous ses bijoux et autres ornements», il s'agit de «l'infortunée Europe qui, depuis maintes années subit rapines, outrages et désespoir...[19]» Les horreurs de la guerre de Trente Ans suscita plusieurs chefs-d'œuvre littéraires et artistiques: l'un d'eux, le *De Jure Belli et Pacis*, premier grand classique de la loi internationale, fut écrit par Hugo De Groot, ami de Rubens; un autre est le grand tableau allégorique que Jacob Burckhardt décrit comme «l'immortel, l'inoubliable frontispice de la guerre de Trente Ans, peint de la main de celui qui seul était appelé, au sens le plus noble du terme, à l'exécuter[20]».

Bien sûr, on peut dire que l'idée que Rubens se faisait de la paix reflétait les conceptions de ses mécènes : la paix pour lui, c'était la *Pax Hispanica* de 1609 qu'il ne désirait point voir remise en cause. Les archiducs ne bénéficiaient-ils pas de cette paix ? Marie de Médicis en France, Jacques Ier en Angleterre ne s'épanouissaient-ils pas à son soleil ? Tous les protecteurs politiques de Rubens – le duc de Mantoue, le duc de Neubourg, le duc de Bavière, les grands-ducs de Florence, l'aristocratie marchande de Gênes – n'étaient-ils pas clients de l'Espagne ? Le crime ultime, la machiavélique raison d'Etat de sa bête noire, le cardinal Richelieu, ne se réduisaient-ils pas, après tout, à ce qu'il n'avait pas accepté l'hégémonie des Espagnols, à ce qu'il s'était appliqué «avec toute son industrie et tout son pouvoir à saper, à insulter et à humilier la monarchie d'Espagne» ? Richelieu voyait en tout cas en Rubens un peintre aux opinions politiques marquées. Au début, il avait admiré son travail et lui avait commandé un tableau ; mais il se retourna contre lui par la suite et essaya de lui retirer le contrat du second grand cycle de peintures pour Marie de Médicis, au profit d'un rival de deuxième ordre, le *cavaliere* d'Arpino, un vieux peintre maniériste. Or, Richelieu était un homme de goût : les raisons de ce choix ne pouvaient donc être que politiques. Précisons d'ailleurs que le neveu du cardinal essaya plus tard de réparer l'erreur de son oncle.

Il plaçait Rubens au-dessus de tous les autres artistes, le considérant comme le seul maître universel et, quand il ne pouvait acheter ses tableaux parce que leurs propriétaires belges ne voulaient pas se séparer de ces trésors, il adoptait des méthodes plus brutales, profitant «des rapides conquêtes de notre invincible monarque», Louis XIV, pour emplir le château de Richelieu de trophées de guerre[21].

La position de Rubens ne manquait pas de logique. C'était un homme de son temps et son temps était celui de la domination espagnole. Et s'il n'aimait guère l'Espagne, à la guerre européenne il préférait la suprématie espagnole, qu'il espérait voir durer. A une époque, aveuglé sans doute par sa haine de Richelieu, qui mettait en danger cette suprématie, indirectement, par tous les moyens possibles, il devint lui-même un fauteur de guerre. Il conseilla à Olivarès de sauver la *Pax Hispanica* en frappant «un coup préventif»: en déclarant la guerre à la France. Cela se passait en 1631, date à laquelle, s'étant résolu à une résistance absolue face à la maison de Habsbourg, Richelieu avait forcé à l'exil Marie de Médicis, principal obstacle à sa politique. La reine se réfugia en Flandre, sous la protection de l'infante, et Rubens se prononça en faveur de sa restauration par le biais d'une opération militaire espagnole. En d'autres termes il prôna une intervention de Philippe IV en France, semblable à celle de Philippe II dans les années 1580. Il s'agissait d'anéantir le parti anti-espagnol et de soutenir celui des Dévôts, partisans de l'Espagne. Rubens pensait qu'une intervention opportune et immédiate permettrait à Olivarès d'inverser les rapports de force en Europe avant qu'il ne fût trop tard. Une guerre brève, une victoire, et la *Pax Hispanica* serait sauve, étendue, même, à tout le continent, pour le plus grand profit de tous, en particulier de la Flandre. «Il serait désirable, écrivit-il, si l'affaire est couronnée de succès, que s'établisse enfin une paix juste et générale, aux dépens du cardinal, qui sème le désordre dans le monde: une paix concernant la France et l'Angleterre, qui vaudrait non seulement pour la Flandre mais encore pour l'Allemagne et toute la Chrétienté. J'espère que notre Seigneur Dieu a conservé cette tâche à son Excellence, qui, par sa piété et sa sainte dévotion au service de sa divine Majesté et de notre Souverain, mérite la gloire immense d'être l'unique instrument d'une si grande et si noble entreprise[22].»

Toutefois, s'il est vrai que Rubens fut le peintre propagandiste de la *Pax Hispanica*, il serait absurde de prétendre qu'il n'a été que cela. A l'instar de tous les grands artistes, il exerça son art indépendamment de toute protection ou, plus exactement, il utilisa ses protecteurs autant qu'ils l'utilisaient. Et avec quelle adresse ne se servit-il pas d'eux dans le but de promouvoir son œuvre! Il n'est pas jusqu'à la diplomatie qui l'ait aidé en cela. Jamais son activité artistique ne fut plus grande que lorsqu'il était diplomate; ses missions, en effet, la favorisaient. Sa première mission en Espagne, celle de 1603, lui permit d'étudier l'œuvre de Titien. Lorsque l'infante l'envoya en Hollande, il en profita pour rencontrer les peintres hollandais. En 1628, en Espagne encore, il peignit la famille royale, découvrit Velázquez, qui l'emmena à l'Escurial afin qu'il y copiât les Titien réunis par Philippe II. Philippe IV, le roi esthète, l'installa dans son palais pour pouvoir lui rendre visite tous les jours. L'Angleterre offrit au peintre des avantages similaires. Charles Ier fut enchanté d'apprendre qu'il allait venir à lui en qualité d'ambassadeur, car, suivant ses propres paroles, il «souhait(ait) rencontrer une personne d'un tel mérite»; et Rubens ne fut pas moins ravi de découvrir, avec quelque surprise, tant de charme, de beauté rustique, de politesse, en «un lieu si éloigné de l'élégance italienne». Entre ses missions, il devait peindre outre-Manche une demi-douzaine de chefs-d'œuvre.

Dans tous les domaines, Rubens fait figure de géant face à ses protecteurs. Son impressionnante correspondance, dont ne nous reste qu'un précieux fragment – deux cent cinquante sur ses huit mille lettres –, ne connaît aucune frontière idéologique: son catholicisme dédaigne les limites de l'orthodoxie de son temps; son stoïcisme transcende le flegme de son maître Juste Lipse. Il n'entre dans aucune catégorie bien définie. Il est sa propre loi. Sur quelque terrain que nous le rencontrions, nous sommes ébahis par sa stature, son champ d'action, son universalité. Nous le surprenons parfois dans sa splendide demeure d'Anvers, la plus célèbre de la ville, avec son portique et son jardin, ses statues antiques et ses tableaux modernes. Au-dessus de la grande porte, l'inévitable buste de Sénèque; dans le pavillon de jardin, une inscription: ce sont les vers les plus fameux de Juvénal – ceux qui, de toute la poésie latine, nous apportent le plus grand réconfort, disait Burckhardt –, la devise du stoïque:

Orandum est ut sit mens sana in corpore sano.
Fortem posce animum mortis terrore carentem...

Suivons-le, maintenant, dans sa maison de campagne, le château de Steen, avec lequel il nous a familiarisé par ses paysages enchantés des dernières années, et dont s'est inspiré Constable; ou bien, imaginons-le montant les fringants chevaux espagnols qu'il gardait dans ses écuries afin de les dessiner sur le vif, ou assis dans son atelier, exécutant en un tour de main une *Adoration des Mages* qu'il destine au médecin italien qui soignait sa goutte, dictant des lettres en six langues, conversant avec ses visiteurs, écoutant, tandis qu'il peint et parle, la lecture que lui fait un homme qu'il paie pour cela, lecture tirée de «quelque bon ouvrage», d'ordinaire Tite-Live, Tacite ou Plutarque. En effet, ce furent toujours les grands littérateurs de l'Empire romain et les stoïques de l'Age d'Argent qui l'inspiraient, comme ils avaient inspiré Juste Lipse: Juste Lipse le philosophe qui définit, et Rubens l'artiste qui, par son universalité, transcenda l'Age d'Argent de la Renaissance européenne.

Car Rubens, comme Léonard de Vinci ou Michel-Ange, est un homme universel, le dernier de la Renaissance; et les mécènes couronnés de l'époque, ne l'oublions pas, étaient eux aussi, à leur façon, des hommes universels. Rappelons-nous Charles Quint, qui voulut attirer Titien à sa cour, Philippe II, qui ne pouvait se passer de Tibaldi, Rodolphe II enfermé dans le Hradschin avec ses artistes maniéristes, l'archiduc Albert, bavardant *post prandium* avec Rubens et Jan Bruegel, Philippe IV en tête à tête avec Rubens ou perché en haut d'un échafaudage, discutant détails de plafonds avec ses peintres bolognais : on se prend à penser que les temps ont bien changé. Ce n'est pas vraiment ce que nous attendons de nos dirigeants d'aujourd'hui.

Nous parlons bien du « style » d'un homme politique de notre époque, mais ce n'est pas la même chose. Dans le domaine esthétique, les chefs d'Etat de ce siècle n'ont guère eu d'opinions marquées. Où s'ils en ont eu, on s'en souvient avec quelque déplaisir – témoin Hitler ou Mussolini. Albert Speer l'avoua lui-même, il n'était pas Herrera ; et il est peu probable que les artistes réalistes socialistes chers à Staline trouvent jamais place dans les livres d'histoire aux côtés de Titien, de Rubens ou même des maniéristes de Prague.

Les raisons de cette évolution ? Elles sont nombreuses à se présenter à notre esprit. Tout cela est sans doute une question de mode ; mais pas entièrement : pourquoi cette mode est-elle née, pourquoi connut-elle un tel succès ? Il ne fait pas de doute que la monarchie héréditaire y est pour quelque chose. Les monarques héréditaires d'autrefois, dont le destin était tout tracé, recevaient une éducation adaptée à celui-ci : avec quel sérieux les jeunes princes n'étaient-ils pas initiés à la philosophie, à la culture de leur temps ! Il est rare que nos chefs d'Etat soient préparés de la sorte : ils sont parfois tellement accaparés par la course au pouvoir qu'ils n'ont pas le loisir de recevoir l'éducation artistique nécessaire à son exercice. Néanmoins, cela n'explique pas tout : il y eut des souverains héréditaires au XIXe siècle, et la formule ne s'applique pas à eux. C'est qu'il y avait eu des changements, non pas dans le système héréditaire, mais dans le goût, l'éducation de ses tenants. S'il existe une raison véritable au phénomène, il faut la chercher ailleurs.

Ailleurs, dans l'univers mental, me semble-t-il, dans la conception que se faisait du monde l'époque que nous avons évoquée. L'art avait une fonction plus importante au XVIe siècle qu'au XIXe. Il symbolisait une vision globale de l'existence, dont la politique était une partie et que la cour – la cour omnipotente de la Renaissance, celle qui avait ravi à l'Eglise sa vocation de mécénat et qui avait imposé son moule à toutes les hiérarchies subordonnées – avait pour mission de divulguer et de soutenir. Depuis lors, depuis le milieu du XVIIe siècle – ne revenons-nous pas sans cesse à cette ligne de partage dans l'histoire de l'intellect? –, cette image unifiée du monde a volé en éclats: l'art est peu à peu devenu le domaine réservé des artistes et des critiques, la littérature celui des philologues, la politique celui des politiciens; et bien que les gris idéologues de notre siècle aient cherché à restaurer artificiellement l'unité perdue, cette expérience brutale n'a guère été, ne serait-ce que sur le plan artistique, couronnée de succès. Quoi que nous puissions penser de la politique de la maison de Habsbourg, sa propagande esthétique fut plus persuasive que celle des surhommes teutons ou du paradis ouvrier des soviétiques.

Ce ne fut pas la propagande d'une seule cause, ni même d'une cause cohérente. Plusieurs thèmes la sous-tendent: le rêve d'un empire universel, la gloire d'une dynastie particulière, différentes idées successives sur la société, la religion, la nature, la croisade pour l'unité religieuse, le triomphe militaire sur les infidèles, la préservation de la paix européenne. En une chose, cependant, elle fut cohérente: elle mobilisa l'art et les artistes de toute une époque, leur donna l'impulsion nécessaire et leur procura les occasions indispensables à la réalisation de leur génie, qu'elle ne musela pas, même si elle lui imposa certains de ses thèmes-clés. Sans sa protection, Dieu sait ce que l'art de ce siècle aurait été!

Notes

Chapitre premier *Charles Quint et l'échec de l'humanisme*

1. Arioste, *Orlando Furioso*, chant XV, XXV, XXVI. Le passage s'inspire de Virgile, *Enéïde*, VI, 752-854, *les Géorgiques*, II, 474. *Cf.* Frances Yates, *Astrée: le symbolisme impérial au XVIIe siècle*, chap. I.
2. *Cf.* L. Venturi, *Storia dell'Arte*, IX, 2, 472.
3. Jacob Burckhardt, *Recollections of Rubens*, p. 27.
4. Virgile, *Enéïde*, I, 291-296.
5. Pour le détail des relations de Rubens avec la cour d'Augsbourg, *cf.* Manuel A. Zarco della Valle, *op. cit.*
6. *Ibid.*
7. Henri Hymans, *op. cit.*, p. 123.

Chapitre deux *Philippe II et l'Anti-Réforme*

1. Luis Cervera Vera, « Semblanza de Juan de Herrera », in *El Escorial* II, p. 18.
2. Ford, *Handbook*, I, 56 ; José Camón Aznar, *La Arquitectura Plateresca* ; Georg Weise in *Gesammelte Aufsätze der Görres Gesellschaft* (1935), II, 273-294.
3. Le terme « maniériste » n'est utilisé que depuis le XIXe siècle. *Cf.* John Shearman, *Mannerism*, Harmondsworth, 1967.
4. *Cf.* Secundino Zuaze Ugalde, « Antecedentes Arquitectónicos del Monasterio de el Escorial », *El Escorial*, II, 105 *sqq*.
5. Lettre de Granvelle à Gonzalo Pérez, juillet 1560, in *Epistolario Español* (Bibl. Autores Españoles, t. LXII), 25-26.
6. Louis Bertrand, *op. cit.*, pp. 47-48.
7. Ford, *Handbook* II, 497-498.
8. Sigüenza, II, 428-431, 613.
9. *Cf.* Maria Elena Gómez Moreno, « La Escultura Religiosa y Funeraria en el Escorial », *El Escorial* II. L'anecdote du mouchoir est consignée dans Ford, *Handbook*, II, 759.
10. Les opinions diffèrent grandement sur la datation de ce tableau dont le titre *le Rêve de Philippe II* est absurde. Manual Cossio (185-186) maintint jusqu'à la fin de ses jours mais « con toda clase de respetos y de reservas », que le Greco le peignit après la mort du souverain, peut-être (José de Sigüenza n'y faisant pas allusion) après 1605.

D'un autre côté, José Camón Aznar (*Domenico Greco*, 219-236) penche pour une date plus ancienne, suggérant même qu'il s'agit de la *prueba* du peintre.
11. La statue, conservée au Palacio de Liria, à Madrid, appartient aux ducs d'Albe.
12. Sigüenza, II, 545.
13. Gachard, *op. cit.*, p. 187.
14. Sigüenza, II, 635-636.

Chapitre trois *Rodolphe II à Prague*

1. *Cf.* Lhotsky, *op. cit.*, 157 *sqq.*
2. *Cf.* L. Pastor, *History of the Popes* XVII, 208 n.
3. Telle est l'opinion exprimée dans la meilleure histoire générale de l'Allemagne, Moriz Ritter, *Deutsche Geschichte im Zeitalter der Gegenreformation und des Dreissigjährigen Krieges*, 1889-1895; après quoi elle s'est répandue dans toute l'historiographie allemande. *Cf.* Evans, *op. cit.*, p. 49 n.7
4. Tel est le point de vue de Lhotsky, *op. cit.*
5. Evans, pp. 33, 89, 241.
6. *Cf.* L.O. Larssen, «Hans Mont van Gent».
7. De nombreux dessins de Hoefnagel furent publiés dans Braun et Hogenberg, *Civitates Orbis Terrarum*, Cologne, 1576-1618. A son sujet, voir Eduard Chmelarz, «Georg u. Jakob Hoefnagel», *Jahrbuch* XVII, 1896, 275-290.
8. Kart Chytil, *Die Kunst in Prag zur Zeit Rudolf II.*
9. Evans, p. 264.
10. *Jahrbuch* VII (2), «Regesten» 4660.
11. *Jahrbuch* VII (2), «Regesten» 4656, 4648.
12. *Jahrbuch* VII (2), «Regesten» 4627; Chytil, p. 32.
13. *Cf.* J. Neuwirth, «Rudolf II als Dürersammler», *Xenia Austriaca*, Vienne, 1893.
14. F. von Reber, *Kurfürst Maximilian von Baiern als Gemäldesammler*, Munich, 1892.
15. Evans, p. 98.
16. Le dronte fut découvert en 1598 par les Hollandais à l'île Maurice, seul lieu du monde où il se rencontrait. On rapporta des spécimens en Hollande. Un crâne de dronte trouvé à Prague en 1850 provenait sans doute de la ménagerie de Rodolphe II.
17. *Euphormionis Lusinini sive Ioannis Barclaii Satyricon*, Amsterdam, 1629, IIe partie, pp. 217-225. Cette partie fut écrite en 1607 du vivant de Rodolphe.

18. Chytil, *op. cit.*
19. En 1806, à la mort du dernier descendant du comte Königsmarck, l'ambassadeur autrichien en Suède, le comte Lodron-Laterano, acheta le restant du butin de son ancêtre et l'offrit à l'empereur de l'époque. Tout se trouve désormais au Kunsthistorisches Museum de Vienne. Hormis les bustes, il y avait vingt-deux toiles de Jules Romain, Otto Van Veen et d'autres, le relief de la victoire de Sissegg, fruit de la collaboration de Spranger et de Vries, et le buste de Marie de Hongrie par Dubrœucq.

Chapitre quatre *Les archiducs et Rubens*

1. Karel Van Mander, *Het Schilderboek*, rubrique Scoreel.
2. *Ibid.*, rubrique Aertsen.
3. John Shearman, *Mannerism*, p. 149.
4. *The Letters of Peter Paul Rubens*, 52-53.
5. *Cf.* Marcel de Maeyer, « Rubens terugkeer uit Italië naar Antwerpen », *Gentse Bijdragen tot de Kunstgeschiedenis* XI, 1945-1948.
6. Aubertus Miraeus, *De vita Alberti*, 1622.
7. Sur cette œuvre, consulter *Corpus Rubenianum Ludwig Burchard*, 1re partie.
8. De Maeyer, *Albrecht en Isabella*, p. 205.
9. *Lettres*, p. 277.
10. E. Zanta, *la Renaissance du stoïcisme au XVIe siècle*, Paris, 1914.
11. *Lettres*, pp. 277, 130, 203, 118.
12. *Lettres*, pp. 185, 279, 357.
13. *Ibid.*, pp. 358-361, 392.
14. *Corpus Rubenianum Ludwig Burchard*, XVIe Partie, pp. 178-187, planches 92-96.
15. *Ibid.*, IXe Partie, p. 42, etc.
16. Roger de Piles, *Discours sur les Ouvrages des plus fameux peintres*, « Vie de Rubens », p. 35.
17. *Lettres*, p. 392.
18. *Ibid.*, p. 77.
19. *Ibid.*, p. 109.
20. Burckhardt, *Recollections of Rubens*, pp. 113-114.
21. Roger de Piles, *op. cit.*, « Epistre ».
22. *Lettres*, p. 380.

Bibliographie

Ouvrages généraux

Les ouvrages de base que j'ai consultés lors de la préparation de ce livre sont : Alphons Lhotsky, *Geschichte der Sammlungen*, Vienne, Festschrift des Kunsthistorischen Museum, 1941-1945 ; et *Jahrbuch der Kunsthistorischen Sammlungen des allerhöchsten Kaiserhauses*, Vienne, 1883-1918, poursuivi après 1918 sous le titre *Jahrbuch der Kunsthistorischen Sammlungen in Wien* – pour lequel j'utilise l'abréviation *Jahrbuch* lorsque je le cite dans les lignes qui suivent. Les ouvrages importants de l'époque que j'ai utilisés sont : pour l'Italie, Giorgio Vasari, *Vie des Peintres...* ; et, pour les peintres du Nord, Karel Van Mander, *Het Schilderboek*, Haarlem, 1604. Suivent les principales sources mises à contribution dans les différents chapitres.

Chapitre premier

L'idéal impérial de Charles Quint est énoncé, plus ou moins complètement, dans : Peter Rassow, *Die Kaiseridee Karls V*, Berlin, 1932 ; R. Menéndez Pidal, *La Idea Imperial de Carlos V*, Madrid, 1940 ; et Frances Yates, *Astrée : le symbolisme impérial au* XVIe *siècle*, Paris, 1989. Il n'existe pas à ma connaissance d'étude complète de Charles Quint comme mécène, mais le catalogue de l'exposition organisée à Vienne lors du quadricentenaire de sa mort contient des informations précieuses : *Sonderausstellung Karl V*, Vienne, Kunsthistorisches Museum, 1958 ; Alfons Lhotsky en avait écrit la brève introduction, qui a été reprise dans *Aufsätze und Vorträge*, II, 328, Munich, 1970-1974. En ce qui concerne Charles Quint en tant que protecteur de Titien, j'ai recouru à des ouvrages bien connus : J.A. Crowe et G.B. Cavalcaselle, *The Life and Times of Titian*, 1877 ; Hans Tietze, *Tizian, Leben und Werk*, Vienne, 1936 ; Pedro Beroquí, *Tiziano en el Prado*, Madrid, 1927 ; Herbert von Einem, *Karl V und Tizian*, Cologne, 1958 ; et Manuel A. Zarco della Valle, « Unveröffentlichte Beiträge zur Geschichte der Kunststrebungen Karl V und Philipp II », *Jahrbuch*, VII, 1888. Eugène Plon a donné une excellente étude sur les deux Leoni : *Leone Leoni et Pompeio Leoni*, Paris, 1887. Outre Karel Van Mander, pour Jan Vermeyen, ses tableaux et les tapisseries exécutées d'après eux, on se reportera à Max Friedländer, *Early Netherlandish Painting*, XII, 157, Londres, 1969 ; Heinrich Goebel,

Wandteppiche : die Niederländer, Leipzig, 1923, pp. 419 *sqq* ; J. Houday, *Tapisseries représentant la conquête du Royaume de Thunes par l'Empereur Charles V*, Lille, 1873. Les œuvres citées de Ford et de Stirling Maxwell sont : Richard Ford, *Handbook for Travellers in Spain*, 1845, W. Stirling, *Annals of the Artists of Spain*, 1848, et *The Cloister Life of Charles V*, 1852. On se reportera à Henri Hymans, *Antonio Moro*, Bruxelles, 1910, pour ce qui concerne Antonis Mor, et à Alexandre Pinchart, « Tableaux et Sculptures de Marie d'Autriche, reine douairière de Hongrie », *Revue Universelle des Arts*, III, 127, afin d'en savoir plus sur les collections de Marie de Hongrie. Quant à l'architecture « plateresque » espagnole sous Charles Quint, elle est fort bien évoquée dans José Camón Aznar, *La Arquitectura Plateresca*, Madrid, 1945.

Chapitre deux

Il existe un compte rendu contemporain, indispensable, de la construction de l'Escurial par Philippe II : il s'agit de José de Sigüenza, *Historia de la Orden de San Gerónimo*, 1605, réédité dans la Nueva Biblioteca de Autores Españoles, Madrid, 1909. Louis Bertrand, *Philippe II et l'Escorial*, Paris, 1929, est un compte rendu d'une lecture fort agréable, inspiré du précédent et d'autres sources. On trouvera une admirable série d'essais par des experts de tous les domaines dans deux magnifiques volumes publiés par Patrimonio Nacional en célébration du quadricentenaire de la fondation de l'Escurial, et qui ont pour titre : *El Escorial 1563-1963*, Madrid, 1963. M'ont particulièrement aidé les essais de Luis Cervera Vera, Georg Weise, Secundino Zuaze Ugalde, Maria Elena Gómez Moreno, F.-J. Sanchez Cantón et P. Federico Sopeña Ibañez. Pour l'ensemble du mécénat de Philippe II, j'ai utilisé Carl Justi, « Philipp II als Kunstfreund », *Miszellaneen aus drei Jahrhunderten Spanischen Kunstlebens*, Berlin, 1908 – ce travail qui fut très novateur reste d'un grand intérêt. Pour les premières œuvres que Titien exécuta pour Philippe II, voir Harald Keller, *Tizians Poesie für König Philipp II von Spanien*, Wiesbaden, 1969 ; pour le Greco, je me suis principalement appuyé sur Manuel B. Cossío, *El Greco*, Madrid, 1908 (nouvelle édition de Natalia Cossío de Jiménez, Barcelone, 1972) et sur José Camón Aznar, *Dominico Greco*, Madrid, 1950. En ce qui concerne l'intérêt porté par Philippe à Bosch, on se reportera à Justi, bien sûr, mais aussi à Max Friedländer, *De Van Eyck à Bruegel : les Primitifs flamands*, Paris, 1985 et Mia Cenotti, *The Complete Paintings of Hieronymus Bosch*, 1969. Les lettres de Philippe à ses filles sont reprises dans L.P. Gachard (sous la dir. de), *Lettres de Philippe II à ses filles*, Paris, 1884.

Chapitre trois

Pour une approche générale de Rodolphe II, voir R.J.W. Evans, *Rudolf II and his World*, Oxford, 1973 ; et sur sa protection des artistes, Karl Chytil, *Die Kunst in Prag zur Zeit Rudolf II*, Prague, 1904. Pour Arcimboldo, j'ai utilisé Legrand et Sluys, *Giuseppe Arcimboldo et les Arcimboldesques*, Aalten, 1955 ; et Benno Geiger, *I Dipinti Ghiribizzosi di Giuseppe Arcimboldo*, Florence, 1954 ; sur Jean Bologne, on lira Elizabeth Dhanens, « Jean Boulogne... », *Verhandelingen van de K. Vlaamse Academie voor Wetenschappen, Letteren en Schone Kunsten van Belgie*, Bruxelles, 1956 ; et A. Ilg, « Giovanni da Bologna und seine Beziehungen zum Kaiserlichen Hofe », *Jahrbuch* IV, 1886 ; sur Mont, L.O. Larssen, « Hans Mont van Gent », *Konsthistorisk Tijdskrift* XXXVI, 1967, 1-12 ; et « Bemerkungen zur Bildhauerkunst am Rudolfinischen Hofe », *Umění* XVIII, 1970, 172 – volume consacré à l'art rudolphin.

Sur Spranger, voir Ernst Diez, « Der Hofmaler Bartholomäus Spranger », *Jahrbuch* XXVIII, 1909 ; et Konrad Oberhuber, « Anmerkungen zu Bartholomäus Spranger als Zeichner », *Umění* XVIII, 213 ; sur de Vries, A. Ilg, « Adriaan de Fries », *Jahrbuch* I, 1883 ; et L.O. Larssen, *Adriaan de Vries*, Vienne, 1967 ; sur Aachen, R.A. Peltzer, « Der Hofmaler Hans von Aachen, seine Schule und seine Zeit », *Jahrbuch* XXX, 1912.

Pour les paysagistes de Rodolphe II, on consultera Edouard Fétis, *les Artistes belges à l'étranger*, Bruxelles, 1857-1865 ; Heinrich Gerhard Franz, « Niederländische Landschaftsmaler im Künstlerkreis Rudolf II, *Umění* XVIII, 1970, 224-225 ; An Zwollo, « Pieter Stevens, ein vergessener Maler des Rudolfinischen Kreises », *Jahrbuch* LXXV, 1968, et « Pieter Stevens, neue Zuschreibungen und Zusammenhänge », *Umění* XVIII, 1970, 246 ; Hans Modern, « Paulus van Vianen », *Jahrbuch* XV, 1894 ; Teréz Gerszi, « Die Landschaftskunst von Paulus van Vianen », *Umění* XVIII, 1970, 260 ; Kurt Erasmus, « Roelandt Savery, sein Leben und seine Werke » (Dissertation, Halle a.S., 1908) ; musée des Beaux-Arts, Gand, « Roelandt Savery, 1576-1638 », catalogue 10 avril-13 juin 1954 ; J.A. Spicer, « Roelandt Savery's Studies in Bohemia », *Umĕni* XVIII, 1970, 270.

La volonté de Rodolphe de posséder des œuvres d'art et les méthodes qu'il employait pour se les procurer sont exposées dans sa correspondance (« Regesten »), publiée par H. Zimmermann, « Quellen zur Geschichte der Kaiserlichen Haussammlungen... », *Jahrbuch* VII (2).

Chapitre quatre

C'est à Emile Mâle, *l'Art religieux de la fin du* XVI*e siècle, du* XVII*e siècle et du* XVIII*e siècle*, Paris, 1951, que je suis le plus redevable quant au contexte religieux de l'art catholique à l'époque de la Contre-Réforme. L'histoire des Pays-Bas espagnols est étudiée dans l'importante *Histoire de la Belgique*, vol. IV, Bruxelles, 1927. Le mécénat des archiducs l'est dans Marcel de Maeyer, « Albrecht en Isabella en de Schilderkunst », *Verhandelingen van de K. Vlaamse Academie voor Wetenschappen, Letteren en Schone Kunsten van Belgie*, Bruxelles, 1955. C'est dans sa propre correspondance que j'ai puisé une grande partie de mes informations sur Rubens.

J'ai aussi mis à contribution Roger de Piles, *Discours des plus fameux peintres*, Paris, 1681, pour ce qui concerne sa jeunesse; le classique de Jacob Burckhardt, *Erinnerungen aus Rubens*, et la biographie de H.G. Evers, *Peter Paul Rubens*, Munich, 1942. La série *Corpus Rubenianum Ludwig Burchard*, Londres et New York, 1968, contient de précieuses études spécialisées: *The Ceiling Paintings for the Jesuit Church in Antwerp* (I) et *Decorations for the Pompa Introitus Ferdinandi* (XVI) de J.R. Martin; et, de Svetlana Alpers, *The Decoration of the Torre de la Parada* (IX).

Sources des illustrations

Les nombres renvoient au numéro des illustrations

Anvers: cathédrale 48, Museum Plantin-Moretus 44, 45; Gemäldegalerie Berlin-Dahlem 21; musées de Besançon 7; musées royaux des Beaux-Arts, Bruxelles 46; Fitzwilliam Museum, Cambridge 50; Staatliche Gemäldegalerie, Cassel 24; Escurial14, 17,18, 22, 27; Palazzo Pitti, Florence 47; Hermitage, Leningrad 52; Londres: British Library 31, 33, British Museum 5, 8, 10, 15, 16, 40, National Gallery 53, Victoria & Albert Museum 1, 28, 35; Prado, Madrid 2, 3, 11, 12, 13, 19, 20, 23, 25, 26; Munich: Alte Pinakothek 6, 39, Bayerische Staatsgemäldesammlungen 51, Schloss Nymphenburg 41; Prague: Musée national 32, Bibliothèque nationale, 29; Collection Cronstedt, Stockholm 37; Vienne: Kunsthistorisches Museum 9, 34, 38, 42, 43, 49, Österreichische Nationalbibliothek 4, Schatzkammer 30; château de Windsor 36.

Index

Les nombres en italiques renvoient au numéro des illustrations

Table des matières

Iconologia

Iconologia, tel était le mot, un peu rocailleux, par lequel les anciens désignaient leur façon d'approcher, de déchiffrer, de comprendre l'œuvre d'art, d'en interpréter les silences, d'en faire parler les symboles et les codes.

Appréhension des images, donc, qui permette de dépasser l'émotion pure et de tenir un discours sur la peinture, sur l'esthétique, en développant patiemment toutes les implications, les secrets oubliés, les intentions perdues, toute la richesse des possibles.

De même la présente collection se propose-t-elle de rassembler les approches les plus diverses et les plus *éclairantes* de l'œuvre d'art, suivant les logiques et les méthodes les plus variées : de l'écrit d'intervention, polémique, sur tel aspect de l'art moderne, à l'essai « classique » d'un des grands historiens de notre époque, comme le furent Erwin Panofsky ou Rudolf Wittkower, sans oublier certains textes de notre culture littéraire dont les effets sur l'art furent décisifs.

Imprimerie Hérissey - Évreux — N° 55577
Imprimé en France